高谈文化

剩女来了

给我快乐，其余免谈

阑 珊 ◎著

北方联合出版传媒（集团）股份有限公司
万卷出版公司

© 阑珊 2009

图书在版编目（CIP）数据

剩女来了：给我快乐，其余免谈/阑珊著. —沈阳：
万卷出版公司，2009.11
　ISBN 978-7-5470-0338-1

　Ⅰ.剩… Ⅱ.阑… Ⅲ.长篇小说—中国—当代
Ⅳ.I247.5

中国版本图书馆CIP数据核字（2009）第185179号

出版发行：北方联合出版传媒（集团）股份有限公司
　　　　　万卷出版公司
　　　　　（地址：沈阳市和平区十一纬路29号　邮编：110003）
印 刷 者：安徽新华印刷股份有限公司
经 销 者：全国新华书店
幅面尺寸：167mm×234mm
字　　数：175千字
印　张：13　插页：2
出版时间：2009年11月第1版
印刷时间：2009年11月第1次印刷
策划编辑：王慧敏
责任编辑：赵鹤鹏
装帧设计：白咏明
ISBN 978-7-5470-0338-1
定　　价：21.00元

联系电话：024-23284050
邮购热线：024-23284090
传　　真：024-23284448
E-mail：vpc_tougao@163.com
网　　址：http://www.chinavpc.com

剩女"聊吧"

她们足够优秀如带刺的玫瑰，让人产生可远观而不可亵玩的敬意与畏惧，她们又几经爱情磨难和命运的捉弄，内心的坚冰没有合适的人用足够的热度去融化。她们有着鲜明的个性、特立独行的生活方式、优越的智商、机敏的思维、超然的思想，如折翼的天使一般让人心痛与惋惜，同时又产生丝丝的无奈与酸楚。

——起点中文网

男人永远喜欢从男人的角度去思考女人。当女人为了钱去性交易，他们认为是堕落；当女人坚守已被插足的婚姻不放，他们觉得愚蠢厌烦；当女人不再渴望婚姻而选择独身，他们认为心理有问题；而当一个独身女人居然还能有点小钱过点小资生活时，他们普遍会认为这女人肯定天生犯贱，背后至少有一堆男人或者可以服务那些男人的美女资源……社会确实不单纯，可是更不单纯的，是人心。

——天涯社区

"剩女"扑面而来，金融危机奔腾而来，在解决金融危机之时，解决"剩女"问题也很重要，因为每个"剩女"的背后，可能都有一个"剩男"，所以，这注定是一举两得的大事。时代不同了，如何解决"剩女"危机，这是时代的新课题。

——辽沈晚报

要么一步到位，要么成为剩女。当越来越多的女子不愿意鼓足勇气过琐碎而有生气的正常人的日子时，她们注定成为光荣的剩女。她们是受害者，但同时又是迫害者。金钱在摧毁所有的道德之后，也随便粉碎了按照成功学原则行事的一代的爱情与婚姻之梦。靠条件匹配而无自然感情萌发的社会，是令人恐惧的。

——中国经济网

主要人物介绍

陈一珊　伊曼公司的客户总监，本书的主人公。一个彻头彻尾的享乐主义者。

雷　伊　陈一珊的顶头上司，也是唯一的直接上司，法国人。

李　林　陈一珊的铁杆男友，工作在上海，是个正统的新好男人。

于小娜　陈一珊从小玩大的"铁三角"之一。

唐大志　于小娜的丈夫，一家公司的老板，也是陈一珊的生意合作伙伴。

王　佳　陈一珊从小玩大的"铁三角"之二，嫁给马克，定居德国。

左　梅　"左岸风景"酒吧的老板娘，和陈一珊一同"兴风作浪"的人。

孟辉辉　某大学经济系的帅哥，陈一珊曾经的小情人。

吴家敏　腰缠万贯的女老板，夫亡，有一女儿，47岁，风姿犹存，后与小她17岁的下属结婚，陈一珊的优质客户。

陆文通　陈一珊在酒吧认识的金融行业经理层人士，后来两人互相利用。

周家正　妇产科医生，陈一珊父母托人给女儿介绍的男朋友。

四大金刚　秦小山、江仕侠、张小龙、曹江，陈一珊的直接下属。

1

没穿好衣服就稀里哗啦地往外跑。

"手机！"

"带了。"

"车钥匙！"

"带了。"

"钱包！"

没带。跑回屋里拿，哗哗啦啦地翻着，只有三十几块。

"老妈，快点，借几张。"

一会儿，老妈从她屋子里拿出薄薄一小叠，缓慢而谨慎地看过来，"要几张得记着还。"

"什么呀，每月都给你还少吗，借的时候这么小气！是'借'呀！拿来吧！"有点不耐烦地抢过钱，来不及数，草草塞进钱夹里。"要不是来不及取，才不稀罕借你的呢！"

"记准了，还我七张。"

"放心吧，还你八张！"

刚跑到楼下，老爸一手提鸟笼一手牵着翠花迎面走过来。"今天走得早啊，还不到七点半,和你妈又吵了？"

"借钱放高利贷和收钱的时候老妈还有心情吵？！她那个财迷。有个客户，得去一下。"

老妈不知什么时候又跟了下来，提了个空菜篮子。"见客户就跑得快，比见你妈还要紧！"

"那当然，客户现在给钱，老妈现在要钱，傻子都知道该往哪跑，呵呵。"

"要是用对客户的劲头找男朋友，也早嫁出去不在家气我了。"

001

"男朋友哪比得上客户，客户能让我升值，男朋友能吗？"

"家里傻话没说够，还要在外面说，快走吧。"老爸不喜欢邻居们听到这种对白。

咱这边刚上了车，就有一个中年男人对他老婆说："瞧，这就是白领！"

真是气得脑门心疼，咬牙切齿："你才白领！你老婆白领！你爸你妈白领，你们全家都白领！"

那个男人隔着玻璃大概看到咱的上下牙齿激动得打架，小白眼斜着他，有些不知所措，弯下腰来嚷，"说你白领怎么了？切！"

推下玻璃，"现在白领的概念都是白痴了！胆小、专横、冷漠、物欲横流和欺软怕硬！你守着我爸我妈叫我白痴是什么意思？"

那人的眼镜快跌下来了，问题很严重了。咱一踩油门跑了出去，看到他有些讪讪地在老爸老妈面前解释。

吴家敏是一家房地产公司的股东，是那种韶华已过风姿犹存的半老徐娘。老公死得早，家住昌平，年初在密云开发的大片度假区和星级酒店项目上，法国伊曼以九百多万中标是和她的慷慨支持分不开的，而且又要跑到大连、青岛、云南什么的继续开发。那我的产品也就随着她扩张的路线跟着走了。打开一道门便能得到一切，多轻松！

但现在不知她找咱干吗。和强势的上流人物结交总归是不错的，他们一般掌握着丰富的社会资源，社会往往又是各种盘根错节的种种关系相互关联着，如果想在挤挤挨挨13亿人中生存得风生水起，你就得游走在这种结点上。当然你自己也得努力做好其中一个结点。

咱对富人向来不报恶感，不爱说他们的坏话，也不景仰他们。人生而平等，在他们面前持有这种信念就够了。

刚走到政法大学门口，窗玻璃上滑过一张清秀俊美的脸，长睫毛鸭蛋脸，小鼻子高挺着，那种精美令人心头一颤：妈的，还是男人么？咋美得这么牛B兮兮地透彻？身材也倍儿棒，一米八零左右，匀称挺拔修长，模

002

子里刻出来似的。还从未见过这么个尤物，生来就是做性奴隶的吧。

忍不住停车，伸出头张望，只望见个模糊背影，三晃两晃在校门口转没了。看来最令人羡慕的职业是大学教师，能最先过滤出最好看最具青春活力的美男美女，收之麾下，慢慢享用。别让咱下次碰到你，那就不客气了。吴家敏就在大学门口不远的酒楼上等着。觉得一大早跑过来还是挺值得。

"刚才看到你在大学门口停住了，以为你找不到地方了。"

"追着看一靓哥，哎哟，都是爹妈生的，那孩子怎么长这么帅呆！你不能说造物者是公平的，叫人吐血！"

"看上他了吧？一见钟情？"

"肯定看上了。逮住他一定好好享用一番，发挥发挥他最大价值啊，让时间白白催老岂不可惜！"

吴总在矜持地笑，"他还是个学生吧？年龄应该比你小。"

"年龄不是问题，我觉得20～50岁之间的男女是可以随意搭配的，只要在一起开心就行了。其实我特喜欢小一些的男人，年轻不说，还可以随时随地教训他。"

第一次第二次和吴家敏见面挺见外，那以后便熟络了，不需要什么面具了，而且有些私下之事也常常讨论，快混成了闺中蜜友这一级别。现在她找咱来，估计正事不大，只是喝杯茶。咱等着。

果然她一会儿吞吞吐吐地，"珊，你看我找个年轻一点的，也可以吧？"

"哈哈，为什么不可以？你更有本钱，摊子铺那么大，凭什么不可以享受生活？男人不管长什么样，只要有钱就可以随心所欲地挑美女，还美其名曰：实力者生存。这种游戏规则适合任何人。你不仅要找年轻的，还得标标致致顺眼的。"

吴家敏是典型的上代女人，无论嘴巴上怎么发狠怎么放得开，一旦行动起来就不由自主地缩手缩脚，察看起别人的脸色和眼色来，把自己看护得那个紧。让咱这个做了也不说、只做不说的行动主义者叹息并窃笑不已。你是在为你自己生活的吧？再苦也不能苦自己。

果然这个事业上爽利嘴风也大气的女人又吞吞吐吐起来，还有些罕见的羞涩。"你见过他，就是我公司的技术工程师，姓方，小我十七八岁。"

"想起来了，那人还不错，性子慢，好脾气。同居了？"

"你这人上道咋这么快，一有意思就同居啊！"

咱才不理她的大惊小怪，"爱情的保险期如果只能存在两至三年，就没必要磨蹭了，上就是了！吞吞吐吐欲说还休那是中学生才干的事，人家身体和心理都还没发育好，慢捂缓炖是可以理解的。你这么大的人了，恕我直言，就该快刀斩乱麻，告诉他，让他过来，他可能还巴不得高攀你呢！生存和攀高枝是男人最强烈的欲望之一。女人到了四十多岁，又停经又更年期的，实际上没有几年好日子可过了，抓不到没办法，但不去抓可是你自己的事！"

吴总的眼睛有些温热明亮，搓着手，"该怎么告诉他？他可能还不知道——我觉得他也对我有意思，但不能肯定。万一他没那意思呢？让公司里人知道了也不太好。"

这才是她的心里话。哈哈，咱莫名松了口气，"需要帮忙么？可我觉得你自己就能解决好。给他发电子邮件或手机短信，请他某天某日吃顿便饭，饭桌上酒过三巡后——请喝红葡萄酒，要个绝对安静的包间，多花点钱也值——就把你心中想说的告诉他。真诚一点，请忘记你的年龄，告诉他你心里的感觉，说喜欢他，真心实意地想和他一起生活，千万别摆上司的臭架子之类。如果他也诚惶诚恐、激动万分地争着向你表白心迹，这谱就百分百搞定了。如果他的愿望不强烈，但也有那么点儿意思，可能是老家里的老婆或目前正同居的情人这类的羁绊，但要相信自己的竞争力，千万不要退缩，紧走两步，一般十有八九就成了。这年头你以为追男人是什么费力的事？他们巴不得呢。如果不成……呵呵，也不用担心，你是公司老总，捏着他的老鼻子呢，他断不敢四处胡说。当然你看中的人都是有一定素质的，有事没事四处造谣抬高自己身价的家伙也入不了你的眼，对吧？哎，不好意思，我得看两眼。"

玻璃外好像晃过一张极为动人的脸，忙不迭地跑出去看，人家却走远了，心中莫名升出一股恨意。然后回来想刚才说哪儿了，还期望着她的提醒。

"怎么这么明目张胆地花心啊！"

"那男孩真他妈好看，他现在出现两次了，再出现一次我就认定是缘分，非找他不可！"

"你不是有男朋友么？"

"一个是博士结了，不属于我了。另一个阴差阳错调到上海了，天高皇帝远，谁也管不了谁。又没结婚——结了还有一颗红杏的心呢。"

"现在的年轻人是和以前的不一样了。"

"早不一样了，现在的女人自己挣钱了嘛，有钱生活就能独立，其他也就顺理成章独立出来了。别人没法管了，名不正言不顺的。"

"父母也管不着了。"

"我反抗父母就像反抗传统一样，永远乐此不疲。"

"唉，世道变了，怪不得我读大学的女儿处处对我不耐烦。"

咱讪讪地笑。

"也担心女儿反对我再婚或同居什么的，她习惯了母亲单身一人，再多一个人她会受不了。"

"她还得培养新习惯。你不仅是母亲，还是女人，应该有独立的选择权，她反对是她的事！一个连老妈生理权也不关心的女儿也不见得是个好闺女。我可不是在批评你的家教工作。"

"我就坚持己见？"

"没错，老妈们不是把自己卖给儿女的，做牛做马没有头的，原则上成人后都让他们出去，能生活成什么样就生活成什么样，您自己的任务也算完成了。再继续管下去，麻烦是你自找的。不是义务，是麻烦！"

"是那个小伙子么？"吴总忽然定定地看着门外，轻轻地笑。

"靠，就是缘分啊！"

2

那天在政法大学里逛了好几遍也没见着那个超级帅哥们。妈妈的，要是想见哪个人，跑断腿也不能如愿，哪天不想理他了，却每每在眼皮底下晃。什么世道！

第二天上班，会议室整整齐齐坐满了人。雷伊老头优雅而一本正经地坐了对面，机智，稳健，从容。别看法国人平时懒洋洋的好逸恶劳，一旦工作起来还挺分清谱的，总能知道自己在干什么。老头汉语也不错，菜谱能看懂84.2613%，"四、十、死、是"哪卷舌哪不卷，一清二楚。

他是咱的顶头上司，唯一的上司。我一般能做到对他熟视无睹，在意他是没法好好工作的。说他什么都懂吧，囫囵吞枣的，也不全懂；说不懂吧，也能来个四五层，就是小事不糊涂大事有时有点拎不清的，但是个人修养特别好。

咱打算尊重这个老同志，不能像对待马克一样老是对抗着来，但该争执就得争执，法国伊曼公司到中国来是为挣钱的，咱是为自己挣钱的，抓住这两个中心就够了。

咱从不谈企业文化企业精神这类虚拟表皮的花哨东西，转型时期的社会，没有规则才是规则，鼓励你挣钱挣钱再挣钱就够了，挣三五十年的钱，成了亿万富翁，退休后或当了更高级总裁后看看自己走过的路，那不是文化吗？我最爱讲的就是狼和小羊的故事，这种生态平衡的需要中，你既不能指责强者，也不能埋汰弱者；人类社会中也永远存在着强和弱、先进和后进的层次，所以你一定要努力有所作为，把自己立在最有利的位置。生活在美国和生活在中国是不一样的，起码现阶段生活在美国是世界范围内最舒服最有利的，这只是国家间的竞争。中国层面的，生活在北京上海香港和山沟沟农村里又有云泥之别：过好日子的机会，受教育的机会，社会福利，医疗等。甭说什么什么面前人人平等，在什么面前也不能真正平等，唯有死亡面前才众生平等！北京城里还有亿万富翁和失业工人的区别，你唯一的任务便是把你自己立在最优化的位置。看看这种位置带来的好处，值得你一生为之奋斗！

中国的落后和后进也许不是你一个人的错，但你自己混不好就是你自己做得还不够，就是你没为自己负责！我们这一代人命都苦，中国第一桶的财富积累落到我们头上，也就是从我们这一代人开始，可能牺牲足够多也不一定如愿，又不能跳过去，权当为儿女们争取最优财富和社会资源吧。看在你老爹老妈贫穷至痴呆的份上，救救你自己吧。如果狼和小羊各有天命，你就让自己成为狼，而不是小羊！

从德国诺玛全盘托过来的四大金刚秦小山、江士侠、张小龙、曹江听惯了咱的口气，处之不惊。新来的和原有的几名员工有点神经兮兮地冒冷汗，妈的，在哪个公司也不能以为是在国企里混日子或在慈善机构里磨时间，否则让你们好看！雷伊从不说话，估计能听懂45%，没拿他傲慢的法兰西自由平等博爱和人权的发源地压迫咱，也没鼓励和认同，他只是静静地待着。与马克的迷茫和听天由命相比，他成熟冷静得多。妈妈的，咱不会让他失望，起码一年后他回总部时要得到英雄式的凯旋。但要在这儿管着我，没门！

四大金刚分割了长江北岸所有的省份，比在德国诺玛时经济版图大多了，那里还有另一个部门竞争呢。现在可没有人制约我，长江以南为上海的部门掌握，做得好那么一点点。不过咱可没把他们放在眼里，也对长江界线不以为然，虽然不明里暗里鼓动下边人跳过江去抓客户，但对他们的野心和能量却睁一只眼闭一只眼，故意把鬼点子多的秦小山和很有韧性不到黄河不死心的曹江安排到长江边上，那边有客户，不怕他们不去抢。

北京的建筑市场近一二十年扩展得差不多了，奥运会结束后基本上要走平庸路线，在小角小落里追求精致和韵味，大规模的工程兴建可能转移到各省的大中小城市和长江沿岸，上海是看得见的黄金水道的制高点，伊曼总部迁移上海也只是时间问题。只是这一点从没和雷伊讨论过。长远计划也不是该我考虑的，那时我还指不定在哪儿呢。顾了眼前再说。

会开完后，大家回归原位。雷伊在后面殷勤地说："珊，周末有个聚会，希望你和我一起去。"

"什么样的聚会？"

"帅哥多的那种。"

这么快就知道咱的喜好了？

"'帅哥'也会说，行啊。帅哥多还是美女多？"

"都多。"

"那你还去那里凑什么热闹？"

法国人的蓝眼睛一下子大睁，很认真地辩解："我长得还不算赖吧？"

"五十一岁很年轻吗？不好意思，我好像缺乏西方人的审美观。"

"五十一岁起码不算老吧？"

"我三十岁了，你看我老吗？"

"当然不老。"

"我妈说我这样的老得快没人要了，你还用提吗？"

雷伊忽然笑眯眯地走过来，亲切地拍了拍咱的肩，"大概是男人和女人的年龄都有个预警危险期，男人五十就够了，女人三十还没开始准备要做什么的话就给人一种焦虑感。恰巧我们都在这种危险期的边缘，我们是物以类聚，正好一对。"

咱也认真地看着他，猛点头。"对啊，的确如此。但你这种五十岁的男人和三十岁的女人的归类要是成立的话，以此类推，四十岁的男人和二十岁的女人相对，都自我感觉良好，当然了，这种老夫少妻也好理解，社会上的二奶群体就是这一类型；三十岁的男人就该和十岁的女人对着了，怪不得有恋童癖大行其道。请问二十岁的男人该怎么办？十岁的呢？"

此时有电话找他，这个年轻的老头边慌忙解释边跑向前台。

"十多岁二十多岁的男人正值海鲜生猛，又缺吃少花，估计各个年龄段的女人都要狙击吧？"这么一想又高兴起来，在昌平遇到的帅哥至少在理论上还是可以撞进咱手里的。

下午正和江士侠讨论她与客户谈项目时遇到的问题，吴家敏打来了电话，吞吞吐吐的不爽利，一听就是个人隐私。

"珊，他答应了，我约他了，他答应了……"

"鼓掌！"

"我……该穿什么衣服？"

"呵呵，你可是房地产老总啊！"以为刀枪不入，现在软了吧。"哪件心情好穿哪件，不过办公室的那种套装就不要了吧，一副领导训斥人的凶模样，把他吓得放不开。你那件黑底黄花的裙子多棒啊，妩媚的一朵花似的，再套一件红外套，热情的一团火，比他还帅呆！"

009

她显得很兴奋，又假装正经，"不会太艳太庸俗了么？"

"艳且艳，绝不庸俗！你又不是没气质的人。还有，内衣不要那种老古板死没劲的，现在都是小三角时代了，要通透周边蕾丝的，纯黑或纯红！"

"噢，不到时候吧？"电话那边本能地叫，继而笑，"我们不能像你们年轻人吧，说到恰到好处，便什么什么的。"

"劝你们说到恰到好处也什么什么的一下！告诉你，这事只要你主动，他会很乖的。为你的快乐买份单吧，要选北京最好的酒店最好的房间！"

沉默了一下，里面小心翼翼，"能行么？"

"看在男女平等的份上，你试试！把羞怯丢在一边，上床和吃饭一样容易！"

"他会嫌我么？"

"你为什么不嫌他？讲什么道道，有感觉就行了！"

"好的……珊，下周你来公司商量一下第三笔款吧。"

"呵呵，好的。"

"你不是……"那边乐呵呵地挂了。

咱不是向往很久了么，八十万呢。这就是做生意和做人情。

3

傍晚，把一小叠钱放在茶几上。老妈拿起来一张一张的极其认真地数，动作笨拙而虔诚。

"行了，别数了吧，骗谁也不会骗老妈，说八张就八张！"

老妈没听见般，小心翼翼地数完，忘了数似的，又倒着数一遍。正确无误后便小心地卷起来，走进卧室，藏到枕头底下或夹板缝里了吧？受过贫困创伤的人真可怕。

现在老妈不会动不动就找茬了吧？自从今年咱过了三十岁，老妈像霜打的茄子，明显地不像去年前年那么明目张胆地嚣张，而是沉寂起来，常常在屋子里转着圈走来走去，魂都快没了，一副若有所思的沉痛样子。在邻居面前也不敢爽朗地笑了，还疑神疑鬼地说别人在背后嘀咕她。弄得咱心情特烦，常常借口不回家。

"珊，"老妈失魂落魄地站在面前，以为多给了她一百块钱会保持沉默呢。"你说你咋办？咱都三十了！"

咱站起来一声不吭地往外走。老妈左手抓住我，右手亮起了擀面杖。

"哇，你要打我？"

"不打你，吓唬你！你说，你咋办？"老妈的脸皱成巫婆似的，充满了挑衅的焦虑和绝望。

"现在挺好啊。我觉得好得不能再好了。"

"好？你还说好！"

"当然，你能不威胁我，不唠叨我，不烦我，会更好！"

老妈突然鼻子一酸，眼泪哗一声就流下来了。"上辈子没烧好香，我怎么摊上你这个不争气的坏东西呢！"

咱这个人的弱点之一就是孝顺，一看见老妈的眼泪就知道自己犯了错，又是搀又是扶的，把老妈弄到沙发上坐下，连忙开溜。

"站住！坐下！"

老妈还握着擀面杖呢，真打咱几下不也是没脾气么？还能真打对攻？

"好的妈，你肯定是糊涂了，别人说什么你就信……"

"住嘴！我什么时候糊涂过我？你都这样了，我一夜夜睡不着觉，糊涂也是被你气的！"

"那是，那是，摊上我算你倒霉了。不过也不能这样逼我啊，现在时代不一样了，坏人多，一不留神就能遇到个不消停的，嫁个坏蛋咱家不更显倒霉么？"

"好的都错过了，好人三十不娶不嫁的还称为好人么？"老妈叹气，"快点找个吧，你看我这白头发，都快一缕一缕的了。谁家像你啊？"

"各人过各人的，人家像我干吗？我也不屑像人家。"

"三十岁之前都没跟你真急，现在不能对你客气了，你还想真的活活气死我啊？"老妈语气平静下来，恳求似的看着咱。

"结婚也是我结婚啊！跟你……真有这么大关系？算了，给我一点时间，给你找一个。"

"是给你自己找！"

"我觉得你比我更需要——利用这个人。"

"随你怎么想。按说你公司里总有未婚男青年吧……"

"别提那堆白痴，再说就跟你急，兔子哪能吃窝边草的。再说，老的老，小的小，你会一个也看不上！"

"不会吧，一个也没有？"老妈深表怀疑。"什么窝边草，窝边草咋就不能吃？你不是挺现代的吗？如果你一星期内找不到，考虑考虑我这边的？"

哈哈，这才是老妈的真实意图，分明是下套嘛。也觉得自己没那么可恶和不孝顺了。

"先说说吧，谁谁啊？"

"我去盛饭，边吃边说。"老妈那种阴沉的脸唰地一下过去了，乐颠颠地收着擀面杖碎步跑进了厨房。

"不等老爸呀？"

"不管他，他什么时候来什么时候吃，咱先谈正事要紧。"

一会儿，米饭和红烧肉端上来，香喷喷，还有凉拌菠菜和藕片。"好多天没吃红烧肉了吧？毛主席他老人家也爱吃，说是补脑。我就觉得你也该补！"

"别再提，烦死了！"大口大口吃红烧肉。

"那小伙子挺不错的，工作稳定，收入还高，保准一辈子没有失业的烦恼……"

"当官的还是银行里的？"

"当官的和银行里的咱够不上——都这个岁数了，也别想了。医生大夫总不错吧？"

说也奇怪，"医生"的字眼刚入耳，脑袋里便呈现出非洲大片美丽荒凉的原野和原野里到处奔跑着的斑马、狮子、大象和河马，天上有艳丽的火烈鸟在飞翔，沸腾的森林边缘是白人的农场，一些猎奇剽悍的人开着吉普车，带着摄像机和手枪到动物世界里到处去探险……要是有个做医生的老公去支援非洲，咱就可以名正言顺地跟着到非洲开眼去了，那里土地廉价，不行搞几百英亩土地，雇一些山东福建农民去耕种，自己也弄辆车，弄架摄像机，带着水果刀、斧头和AK-47，为电视台拍几部异域风光里的奇珍异兽和民族风情片，没准儿能生活得兴趣盎然——想到这里，快笑出声来了。

老妈更加兴致勃勃，"读医科的都耗的时间长，一个本科能念六七年，加上学校女生少，就一直光着，现在和你年龄相当，就是忘了他是小儿科还是妇科……"

"什么，妇科？哈哈，纯粹一职业流氓吧！"

老妈有点不高兴，白了咱一眼，"什么职业流氓啊？咱们去医院看病是让职业流氓看病啊？胡说八道什么，现在妇科男大夫少，只要医术精，不分男人女人的！再说将来自己家里有个医生，不是方便得多嘛！"

咱都倒足了胃口，也顾不得非洲农场了，就是猫抓般的不舒服。妇科大夫当然是以研究女人身体为主的，里面的构造成分什么的，还不是烂熟于心，看女人的身体还不是像看标本似的？再说成天与其他女人的身体相面，心境不麻木也变态了，哪天发神经，拿了钳子或手术刀，霍霍上床——我的妈妈的妈妈呀！

"那小伙子长得还算白净。"

"吃菜。"

"和你个头差不多吧，单看差不多，一比能比你高，男人不如女子显个头。"

"小青菜味道还行。"

"就是有点富态，心宽体胖嘛。别光吃啊，我说话你听见了吗？"

"听着呢，耳朵又没吃饭，不就是肥头大耳个头不高么？"

"没有十全十美的人嘛。你也是大龄了，凑合凑合吧，别挑挑拣拣的没着落了。"

听听这叫什么话。真是的。

"年龄大怎么了？也不意味着非要降价处理或廉价拍卖。你就是看不见我的附加值！"唉，扔下筷子跑吧，干吗自己人先把自己人唱衰啊？现在单身的、想结婚的男人有的是，大街上一抓一把一把的，各个年龄层次的都有，干吗拿自己不当颗枣啊！这叫什么事啊，在自己家里，在老妈眼里，感觉得到自己身价在噌噌下跌。真是窝心透顶！买房子，买房子，单过！

4

于小娜生了个儿子，本来也没我什么事儿，却半夜三更就把电话打过来，根本不管别人死活。于是脾气超级坏地坐起来，梦中被人追着跑了半天总算偷到几串大葡萄，刚刚要尝一口——你说梦中偷来的葡萄会是什么滋味吧！

"珊老妹，我有儿子了！是个儿子！"

还没从没吃到葡萄的懊恼中完全清醒，想象着有儿子和中特等奖的区别。

"听见没有哇？"

"听见了听见了！什么时候生的？"

"刚刚！哇哇，真漂亮！帅哥哦！"

"人家生孩子都又哭又叫大半天的，好长时间后才能缓过劲来，你不是发神经吧？"

"老土了吧！让你多看点时尚剧，你整天摁着动画片和动物世界看！这叫无痛分娩，生产的过程中我还吃了半碗鸡汤呢！告诉你，我家又添了一个超级帅哥！比大志好看一万倍！集中了我俩的全部优点，他还在胚胎状态时我就给他听音乐，读唐诗，念仄仄平平的韵律散文……"

那边激动的声音暂时中断了一下，立马大志洪亮的声音又传过来，"珊妹子，哈哈，人算不如天算，你猜我的宝贝儿子几斤重？5100克！出来就会哭，小嘴一张那个响亮，特像我！我就是忘了在他第一声啼哭时放国歌！挺好看的……"

"5100克？一头象？"

"眼睛鼻子嘴长得特标准！有型有款有模有样！我还很担心呢。你看大志长的还可以吧，比大志俊，俊多了！比大志的臭鼻子好看！眼睛也比大志的大，嘴巴肉乎乎的特像我……"

连打了一串哈欠后，觉得不对劲了，眼睛比大志的还大？这不是妖怪吗？也不插话，就等着这对智商突然退化为零的夫妇语无伦次地神神道道。是生了一个婴儿吗？分明是一个天才+帅哥+白痴+流氓+巫师+音乐家+小地产商+施瓦辛格式的小怪物！在他父母制造的巨大喧嚣和牛皮哄哄的隆重氛围中来到中美合资、每天消费超过1000美元的医院里。

噢，ai—t！咱无故打了个喷嚏，把听筒拿远了点。再贴近耳朵时对方还在舌头搅拌机似的叽叽呱呱大说特说，根本没听见这边的声音似的。又把听筒放在床上一会儿，再拿起来听，还在进行着脱口秀，连附和都不需要了。行了，这一对超级兴奋的笨蛋只需要开口讲话，把突然而至的激动情绪发泄出去，对着墙壁也是一样的。于是放心地把听筒放在桌子上，对着墙，回头睡觉。

第三天傍晚下班，才买了一个毛绒玩具、一束康乃馨去她家，小娜像王母娘娘似的端坐在大床上，无形中增加了威严和权力。大志则像个跑堂的，里里外外正跑得欢。

大志第一句话便是"看看我儿子，将来一定能读到博士！"

小娜则在里面喊："我家儿子在这儿！我家少爷在这儿！看看挺像姚明的！"

受此传染，火速跑进去看与姚明八杆子打不着却又像姚明的孩子，只有两个字来形容：震惊！说实话，第一次如此近距离地看到一个刚刚在48小时内降生的婴儿，不行，得称呼它为小动物，没鼻子没眼没眉毛，连头皮都光秃秃的，什么都小得……可以忽略不计。脸倒胖嘟嘟的，只能说那是两团粉红色的肉，皮肤有些脏，粘着一些暗黄面粉似的东西，还有一些糨糊状。托在手里的时候，咱禁不住打哆嗦啊，像捧了件据说价值连城实则赝品的花瓶，生怕碎了按原价赔付。而且小孩的味道怪怪的，让人不觉得舒服。

"怎么样？帅吧？长大了要当模特的！"

不知她以什么根据这么说。咱干笑了两声，"真真帅呆了耶！老天爷真是照顾你们两个坏蛋，送给你们一个又漂亮又优秀必定杰出的公子哥儿，还有天理么！"

大志在客厅里发神经似的笑，"你没事就嫉妒我吧！"

"你还不找个结了算了，明年这个时候生闺女，咱们结娃娃亲吧！"

咱恼羞成怒差点咬了舌头，又不好说狠话打击她。"你家帅哥可是真命天子，到时候众多小美女还不踏烂你家门槛。只要学得不像他爹那样花里胡哨四处乱看乱拍就行了。"

小娜马上占了便宜似的喜滋滋，"男孩风流点有什么不好？只怕他不像楚留香，处处留香！"

看看这小人得志的德性和劣根，在最预想不到的时候露出了乖张的狐狸尾巴。于是大志在客厅里爆笑，估计都笑得他腮帮子上的肌肉痉挛了。

"老陈，感谢我吧，我让你凭空升了一辈，有人该喊你姨了！"

"不稀罕姨，赏个干妈做吧。"

"那你是第五个干妈了，排在前面的有王佳，有……有……有……"

最后装着要打电话的样子逃到客厅里去了，好好的三居室现在又是拥挤又是怪味儿，更要命的是一向潇洒的那对儿主人竟齐刷刷变成了弱智，过度兴奋，过度智商减退，过度语无伦次，过度自我感觉良好，过度神经质，过度心态膨胀……

小孩这才是刚刚处在傻瓜阶段，要是会笑了，会露齿笑了，会骂人了，会喊叫了，会跑了，会耍流氓了，会气人了，这两口子的心智得退化到负数！

呵呵，看看生孩子的后果吧，不仅不能在乎腰围，腿粗，形象邋遢，皮肤皱皱巴巴，连情商和心态都出现了滑坡等等重大问题。呵呵，祝他们好运吧。

"你要走吗？"大志一脸甜丝丝的，像个十足的纯洁处男。这种状态估计保持三两个月不成问题。

"光伺候你家少爷了，哪儿还有我的地儿，走了。"

小娜在里面喊："告诉你爸——咱爸咱妈一声，说他们又长了一辈，终于当上姥爷姥姥了！"

"别把你的快乐建立在我的痛苦之上吧，做人要厚道！别有事没事的往我家打电话啊！老妈都拿着擀面杖要跟我动手了，要不是你们这些花痴和流氓分子热热闹闹地过日子，别人何故生活在水深火热之中！千万不要有事没事地祸害好人！"

大志把我送到门外，一脸蜜糖样，让咱忍不住怀疑："打赌，只一个半月，你必红杏探出墙外！"

"太小瞧我的意志力了吧？"他呵呵笑，"当了父亲，我就变好了，不像以前那么荒唐了。"

"你以前也没荒唐呀，只是觉得一夫一妻制不适合你而已。在阿拉伯社会，你还是个有待开发的经典男人呢，四个老婆能让你娶满。"

"呵呵，是吗？"他搓着手，"阿拉伯社会咱不习惯，觉得还是旧社会好，无限。"

017

"别给你脸踩着上鼻子了，对她好点。你这个人也真是，干点坏事都捂不严实！不是干的太多往外溢了吧？等等，下周天津的提成就下来了，第二笔三四万呢，到时候直接打进你私人小金库里，随时查收。"

看了他污渍斑斑的袖口和笑弯了的大嘴巴一眼，觉得他突然变得又呆又蠢。

5

周五晚上李林就从上海回来了。呵呵，咱没去成上海，他倒阴错阳差过去了。幸亏只申请了一年。现在也不错，小别胜新婚，每每见面都兴奋莫名。于是先大大来个拥抱，高兴得不得了。咱拽着他的领带，拽过来，拽到和我一个高度，"臭哥们，没在上海泡妞吧？天高皇帝远了不是？"

"哪里话呀，天天想你呢。"

重新当了建筑师就是和出租车司机不一样，随意的夹克衫换成了西装革履，站在那里像杆似的。

"哪里想？"

"哪里都想。"

"没撒谎？"

"现在是我期待你的忠心，而不是反过来。"

废话不说了，于是两个人各自快速地脱了衣服，一件一件的，扔了一客厅，然后争先恐后地跑到卧室的床上，碰得门哐哐作响。

忽然又觉得不妥，"你是不是要去医院体检一下？"

"胡说，上海的洗澡水也有问题吗？"

"泡个把妞也没什么，出门在外嘛，总比憋得难受强。人总是要愉悦的。怕你得了梅毒什么的，主要是怕传给了我，那我可死定了！临死前也得杀了你陪葬！哇——哇——"

李林每次做爱时都很认真，从不像咱那样还能唠叨。然后他就收拾了一下躺在一边。

"好么？"

"棒棒的。"

他心满意足地把嘴巴凑上来。

"脸吧，脸长在这儿就是为了亲吻的；对嘴对嘴有很深的成见，试也不要试。"

"一般口腔里是没有细菌病毒的。"

"拿了显微镜照照就知道了，密密麻麻的。各人养各人的吧，不要交叉传染了。"

于是他鸡啄米似的左啵一下右啵一下，还算满意。

终于慢慢睡着了。一般不做梦，白天费脑费神的累死累活，一到晚上就能快速进入深层睡眠状态，死人一样。但那天做了一个试验性的梦：李

林怀孕了，大腹便便地从这个沙发移到那个沙发上，哼哼唧唧地讨要东西吃。咱刚风尘仆仆从门外跑进来，小包先扔在一边，拿了个软垫靠在他身后，冲进厨房开火做饭，掀开一个大锅盖……

忽然"呼呼噜噜"的，连续不断地响，睁开眼睛，李林正坐在床边捧着大海碗吃方便面，那个香气撩人！

"干吗吃那么响！没吃过面条？刚刚打开锅盖，还没看清楚里面炖的什么呢！

"前一段时间与日本人合作了一个项目，他们吃面条都这样的动静，一表示胃口好，二表示可口。"

"日本的好东西不少，学什么不行啊，这种破烂！哼！"扭过脸去又扭过来，不由自主多看了一眼李林的肚皮，又看了一眼。三十一岁光着上身的李林身材还没发福，只有一点微微的迹象，不算薄的肚皮因坐姿堆叠在一起，谨慎地向外凸起，看他的脸油光光的，一脸幸福。

"肚子怎么了？"他下意识地拍了拍，"两包康师傅，三个鸡蛋。从上海坐上飞机后6个小时的第一顿饭。"

"刚才我做了一个梦，跟真的一样，你怀孕了，六七个月的样子，正坐在客厅里唧唧歪歪地叫嚷：生儿育女好辛苦！"

一声巨响，接着手忙脚乱。李林都把面条喷出来了，跳下床瞪着咱，"干什么呀珊同志，人家在吃饭呢！真是的，我怀孕？我哪有那本事啊！"然后趿着拖鞋跑进厨房，咣的一声，然后又跑回来，嘟嘟囔囔，"哪是哪呀，我是男人耶！"

"现在男人什么不能干呀？妇联主任，妇产科医生，奶爸，家庭煮夫，幼儿园棍哥等等。当然，怀孕也是可能的——宫外孕。"

李林索性掀开毛毯，亮开肚皮，吧唧吧唧地拍，"它能怀孕？这哪有子宫啊同志？"

"广义上讲，在子宫以外怀孕的都叫宫外孕。你腹部上的脂肪层按道理也是可以着床的——精子和卵子的结合体在这里安家也算环境不错。在

019

不影响体形的基础上，你喝点鸡汤补补也算尽了基因遗传的繁殖任务。男人生来体壮体形大，是可以在生育这种大事上承担一些责任的。"

李林没有大惊小怪，却坐起来认真地研究审视自己的肚皮。"可没有通道，婴儿怎么出来呀？"

"剖腹产，无痛的。男人落个刀疤也无妨的，不穿超短裙不着露脐装，也不比全身的黑毛谁更难看，对吧？"

李林呵呵傻笑起来，"你这叫人话吗？不过，真的不错，如果可能的话，试试也没什么不可以，权当休假了。再怎么折腾，男人也不会有奶水吧？"

"女人也不是生来为女人的，要知道生命的起源是从两性同体开始的，要不是科学家在撒谎骗人的话，女人是被演化来的，你想想，猴子那德行的都能演化成人类，男人只要能生产，乳房产奶可能性还是挺大的，就看你朝没朝那个方向努力。"

李林静静地看着天花板，没想明白似的，突然神经质地摸了摸腹部，少见地开怀大笑，"这样说男人也可以理直气壮地休产假过三八了！"

笑过之后，沉寂，有一种隐隐失落的情绪。咱不觉得玩笑开过头了，可能在大庭广众之下更有效果。于是翻着手机给他念短信："恭喜你！已经被青蛙大学野蛮系没文化班正式录取，请带身份证痴呆证到北京市傻瓜路缺心眼街250号报到。到了门口傻笑两声即可！名额有限望珍惜！别错过了啊！"

他叹口气，"本来今天挺高兴的，被你搞得很弱智，你就不会哄哄我啊！现在感觉有点讨厌你！你什么样啊？不知道'厌恶'几个钱似的。"

咱立刻没命地叫起来，把他往床下踹。

他坐在地上继续不高兴地叫："这可是我的床啊同志！"

"是你的又怎样？性资源是按供需分配的，还没叫你到门外站着呢！"

"我也是被需求方。"

"但不如年轻的我更被需。"

他站起来，赤身裸体到橱子里取了凉席，取了件毛毯，铺在地板上，自己躺好盖好，按着遥控器快速地换频道，最后锁定了一个又蹦又跳的动画片，不声不响地看。让咱好不痛快。

冷场了半天，觉得无聊，想离开这里换个地方睡还是继续坚持？本想穿上衣服扬长而去的，也决意这样打算的——但得找个不后悔甚至恨他的理由。于是又顺势滑进地板上钻进他的被窝，只要他冷10秒钟的脸，1，2，3，4，5……

"看看，有我的地方还是有吸引力。"

"别臭美了。"

"还用臭美，你都跟过来了。"

"又怎样？"

"不怎样。过来亲爱的，别动不动刺猬似的说犯倔就犯倔，都快恼怒成羞了。你看我们在一起多好啊，今天都要高起来！"

我俩做爱像打仗似的，直到两个人气喘吁吁地自愿分开。

"总以为自己了不起，其实发起最后进攻的是男人。是我指挥了这场战斗，并决定了何时收场。"他一脸骄傲地说，还讨好地过来亲了两下。

"真是小人得志的嘴脸，不脸红也没有廉耻之心，没有我提供的战场你去哪打呀？！想清楚了再说：到底是谁指挥了战斗并决定了何时收场！？说呀你！"伸手拧他耳朵。

6

工作啊，工作啊同志，人是英雄钱是胆,有工作能挣钱才能掌控这个世界！

通过朋友的朋友的朋友的朋友，曲里拐弯的关系介绍，俺就知道了苏州昆山有一个好项目，跑过去一看，八字刚有一撇,刚在规划阶段，能不能建成还是未知数。先不理，既然到这一亩三分地了，就在当地朋友帮助下，在当地设计院挖啊挖啊，又挖到另一个大新闻，有一60亩地的旧城改造，也处在规划阶段，资金系北京方面的某金主，再一细问，唐大志所在公司的名头曝光了出来！哇，浅盘子里深藏这么一大号王八，得骂他，妈的，都当你儿子的干妈了，有好项目竟然不在第一时间通知咱，非让咱跑断了腿掘地三尺找出来，把你屁股踹成菜花！一打电话，这小子竟然也在昆山，一开口就爆笑："珊丫，老哥准备给你端个现成的上桌，也算一惊喜，现在原材料还没进厨房呢你急吼吼个啥呀，真是，你以为肥水真能流了外人田？"

"你臭狗丫怎么不早吱一声？"

"又不是我老婆我什么话都要给你说？"

"你得请我吃饭！"

"晚饭交给我了，但今晚去哪里玩，你想想办法。"那边分明伸懒腰的动作，不真不假中年男人特有性感磁性的声音，"珊妹妹，给咱找个美女吧，算犒劳一下，我可有两个月没上小娜的床了。"

022

"你胆儿怎么越来越肥了？"

"嘿嘿，将在外，君命有所不受。你看着办，反正我有项目。"

哎，没办法，这人在撒娇时还能掐着咱的脖子，这年头没有比当资本家更赚更牛B哄哄的了。咱马上就屁颠屁颠地到某酒店大堂里等他，一边七上八下地想着是真找个小姐送他从此抓着他的把柄的同时得罪小娜，让她知道了恨咱还是到时赖账哈哈一笑了之？内心里讲，不想与唐骚包这种容易得寸进尺的生意人沆瀣一气，与别人同流合污也不能与他，孔子曰唯女子与小人难养也，他就处在"难养"之列，近之则不逊，远之则怨，加上中间夹着一个铁杆好友，老是别别扭扭的，宁愿挡他在安全系数之外怨着吧。

当看到这个满面红光的人和一个面相铁骨铮铮的陌生人出现时，咱感觉有点多虑了，可能就是一顿饭而已，到时陌生人溜时，俺也同时开溜，让他自己找地方玩去。大志介绍，这是叫老雷，系浙江一隐性富翁，从十多年前敲敲打打的手工作坊开始，现在家里积累了一捆捆钞票像手纸一样堆着不知干吗，就到处找点项目投资什么的。要咱的意思，投资房地产啊，这几年没有任何项目比地产生意更容易发家的了，基本上像家里摆了一台印钞机，敛钱敛到手软敛到不好意思，顺便还能让咱这个过路的赚点辛苦钱。同时给上海的朋友发短信，问问那边有什么好节目。

于是一顿平常的饭慢慢开吃，吃了一半，沪上的朋友电话来了，估计她理解错了吧，说上海新世界一家酒吧里正发布一场"酷男时装秀"，要不要勾个来奖赏自己？咱抵制诱惑的免疫力向来薄弱，马上向唐大志报喜，然后让沪上的朋友先占个视野开阔的位置。

唐骚包和老雷以看人妖的兴趣非跟着咱去玩，给他们找美女也不稀罕了。当下草草填饱了肚子，三人帮杀进了上海酒吧一条街。没想到和咱想法一致的人排了半条街，男男女女坐满半个房间了，还扛着各种长枪短炮的那种莫名其妙的相机，敬业精神赛过业余眼神。百威啤酒小姐可忙坏了，穿着刚遮住屁股的小短裙，又发奖品又忙着风情万种，咱恨不得用短裤跟她换了，哪能让那么多色迷迷的眼睛白白饱餐一顿啊！陪身不如卖身，陪笑不如卖笑，重商时代嘛。俺身后西装革履神情严谨的老雷同志恨不得趴在地上顺着人家的大腿往上看！

"屁股不错吧？不仅你们男人爱看，我也爱看！"

老雷呵呵笑，恨不得哗哗地流下口水，"千挑万选出来的嘛！只能说群众的眼光是雪亮的，和我初恋的女友差不多哎！"

哈，禁不住多看了他两眼，那么严肃的人突然间两眼放光，多少有点贼眉鼠目，男人看女人看得得意忘形时，往往一脸蠢相，贼傻贼傻的。在咱张嘴之前大志狠狠拍了咱的削肩，差点恼羞成怒张嘴喷他。他嬉皮笑脸打着哈哈，意思是别出言不逊讽刺他客人。妈的，撒娇撒成这样的人，还真少见。

好在时装秀按时召开，简易却不失华丽和流光溢彩的窄台上，男士们光着脊背，一水儿精彩绝伦的低腰裤粉墨登场了！

酷啊，音乐也酷，节奏感异常强烈地冲击着你的屁股，恨不得把人从椅子上颠下来！与此相对应的是大踏步、挺胸、收胯、摆臂、摇滚乐似的扭臀、满脸装出来的冷峻，目视前方一个个鱼贯而出的帅哥，一个一本正经的黑社会或街头无良青年似的，尽情流露本性中的狂野和粗犷。哇，根本不用抽奖，随手抓一个就足以眉开眼笑，幸许是一辈子的谈资！

大志一直在一旁装正人君子，没歪着脑袋看百威啤酒小姐，也没对谁评头论足，但一瞄台上的同类，马上就挑剔嫌弃，掘了自家祖坟似的看不上。

"哎哎，不像纯爷们了，是不是又要搞阴盛阳衰？"

咱不理他，脖子伸得长长的。哈，最吸引人眼球的恐怕是帅哥们的腰部了，谈不上规则但非常流畅的椭圆柱体，啤酒瓶般直直地下去，一点多余的脂肪没有，当然不穿劳什子衣服更有看头了。现在大多数男人不是吃饱撑的腆着啤酒肚到处跑就是劳动或纵欲过度，把腰身搞成毫无美感的排骨，恨不得前前后后全用衣服包裹了，谁敢明目张胆地穿低腰裤丢人现眼啊！偏偏剑走偏锋，就有人敢出来搞，还就很出彩！所以得让有点艺术细胞的人来开酒吧，若先天没有，就后天培养嘛！大众时尚源头可以先从酒吧坊间追溯嘛。

咱身后的老雷与大志交换了一下意见，又要蠢动了，口齿不清地小声哼哼："还真是，你说一爷们长成这样，除了当衣料架子管啥用啊？真是的。"

"管啥用？和刚才的啤酒小姐一样管用啊！你不知道中国一半人口是女人吗？消费嘛，各取所需，平衡需求，拉动GDP增长！"

"哈哈，"他在后面笑得很开，"男人被整成这德行，妈哎，还是男人吗？！"

生就看不上这种醋罐罐。有本事你就沉默嘛。

"哈，你这德行的是，人家那德行的怎么就不是？从外观指数上讲，人家标准多了。人家能穿低腰裤，你能吗？"

他在后面不满地抗议："能穿低腰裤的就是标准的男人啊？"

旁边一小妞儿马上用白眼球白他，"sb，那当然啦！有种你穿上也上去，是骡子是马走几步瞧瞧！"

哇，这话说的多绝情啊，俺马上回过头去看——老雷满脸猪肝色，细长的眼睛瞪得滴溜溜圆，瞪了那小姑娘好一会儿，选择没作声，因为那俊妞儿胳膊上突然出现了一人高马大的胖老弟，还不消气地嘀咕："再不闭嘴偶就抡胳膊抽你！"

大志接了句："你要敢试试我就抽你！"

"算我一份，2∶2。"咱觉得给这不知天高地厚的小妞两巴掌卖老雷一个人情超合算，还没和唐大志一道打过架斗过殴呢，而且从男女单打、双打、混合打上看，也不见得吃亏。咱包包里有一只SQL-61型内充电式警棍呢，二百多块，北京国际社会公共安全和技术设备展览会上买到的，输出脉冲电压可达六万伏，一按电钮冒着蓝光嗞嗞作响，把一只嚣张的大狗摆倒在地上不在话下。自从买了还没用过。

结果比老雷还沉默，这一对儿低了低脑袋，嘀咕了一句什么，慢慢溜掉了。

好吧，好吧，看台上，还得说低腰裤。说白了，低腰裤是一种骄傲又恰到好处的炫耀，是设计师大力推广的一场阴谋。打个赌，一晚上的时装发布会，一屋子人，尤其是女人，没几个能记着三种颜色以上的裤子，全在观摩人家非同寻常的腰、飞机场和酷脸蛋了。

罢了罢了，意淫够了，目淫足了，该收工回去了。

大志有点不满意，嚷嚷着看完男时装秀了还要看女的，不然太亏了，有伤自尊心。俺就又领着这个闹事的孩子去了另一家酒吧喝威士忌，老雷同志自行在街上勾了一个叫芦花的小姐，我们就凑成两对坐在吧台上喝。大志大着舌头还愤愤不平地声讨刚才一个个低腰裤花瓶男人，说他们丢了男人的脸面，男子汉顶天立地，真的不能这样，这个社会真搞成阴盛阳衰

让有儿子的家庭如何培养孩子云云。

咱不和他从这个角度讲道理，这人在装呢。就告诉他，站在女人的角度说，他唐大志还不如那些花瓶男，那些花瓶男仔细分析也许不如一只狗：

1. 男人比狗实用性高，但不如狗的忠诚度好；

2. 男人比狗能干家务或会说话，但狗不会干家务也不会干坏事啊，不会说话也不会说谎啊；

3. 通常情况男人比狗高大，但狗不用费衣服钱，也不用消耗洗衣粉（网上有个另类统计说，男人一生浪费的洗衣粉钱能买一幢规模不详的房子，得算上这笔财产！）；

4. 狗不会妒忌，不会红杏出墙，不会受诱惑或诱惑别人，不会抛媚眼，不会招蜂引蝶，不会……

5. 男人不会看家，不会防贼，不会省钱，不会省心，不会……

6. 两者共同点：肉食动物（或杂食），饭量也差不多。

结论：养个男人不如养只狗更符合修身养性和经济合算成本。当然，狗是穿不了低腰裤的。

那晚大家都有点晕，勾肩搭背晃晃悠悠在上海的大街上横着走，酒精上脑，觉得猖狂无比，周围的繁华的灯光闪着钻石的光泽在心中膨胀着燃烧。

唐大志说：我要成为中国数得着的地王，要啥有啥，美死我吧！

老雷说：我要成为中国数得着的隐性富翁，要当就当土皇帝，死都过瘾！

咱说：我要赚取本该属于我的一切，在上海滩横着脚丫丫走！

毕竟这是个冒险兼获利的年代。冒险精神和野心与财富一同膨胀，一起成长！生命只有一次，你并没有损失什么，一样长的生命历程，共同面对死亡的结局，对财富的向往和英雄主义情结是每个人共有的情愫和梦想。幸亏我们贪得无厌，幸亏我们都有一颗贪婪之心，若不，如何对得起这人性泛滥和沸腾的年代！？以上帝的名义，以人性的名义，以正义和自由的名义，以一切的名义：我们是人，我们是高级动物，我们有私欲，我们拥抱财富，我们欢迎性！我们向往权力！我们热爱一切美好和绚丽的东东！

7

不是冤家不聚首啊。从昆山回来后忘了出于什么事到中关村去，从人民大学门口经过时，看到人行道上一个与众不同的身影晃悠着。一个性感的过目难忘的男人不仅要有漂亮的面孔，还得有一个不大不小完美比例的臀部。总体上看，中国男人的臀部都不大，甚至没有，从腰到腿那本该养眼的一段刀削下去似的，又平又整；没裆是因为没屁股，所以裤子撑不起来，显得瘦削无力，加上先天东方人特有的骨架和后天耻于锻炼、优于阴谋和心得，所以看上去沉郁、单薄和精于心算，很不够阳光和大气。

所以那个不同一般身材的轮廓一下子从平庸众生中脱颖出来，刺激着别人爱美的眼睛和自私的心理，又想起那群低腰裤男。

"喂，说你呢！就是你！"咱有点急不可耐地降下窗户，向他嚷："老弟，加油站怎么走？"

小俊脸愣了一下，竟有点害羞，"不知道。"

"我也不知道。附近熟吗？去哪呀？帮我找找不耽误你时间吧？"

他左右看了看，"我去昌平。你问一问其他知道的。"

"正好我也去昌平，上来吧。我表妹也在昌平大学里念书，正好去看她。不要你钱。"

大男孩兴奋又惶恐，犹豫忸怩地坐了副驾座上。咱立马心花怒放，上了老姐的贼船还想下去啊？于是一路不急不慢地向昌平走。

"念什么系啊？"

"经济。"

"经济也用念啊？吃饭会不？"

他立刻抗议，"经济的学问大着呢！"

"这么崇拜经济啊？以前学什么的？"

"民族舞蹈。"

这就对了嘛。缺啥想补啥，不懂什么崇拜什么。

"跳舞多好啊，不仅能成为万众焦点，还能把身材跳成一流。如果能重新开始，我一定当舞蹈家，为大河之舞的女主角而奋斗！"

他垂下眼睛，"跳舞有什么呀？"

"跳舞学问大着呢，一点也不比经济小！"

就这样拘谨没有了，气氛轻松了。咱开车愉快，他搭车愉快。

"在人大念书去昌平干什么呀？不是泡妞吧，这么辛苦？"

他居然红了脸，"女朋友在政法大学念大二。"

咱立即不爽，这么小的人，找什么女朋友啊，期中考试肯定不过关。两边都要收获，哪这么好的事啊！当即酸倒牙地问："她美若天仙喽！？"

"还行。"

"又不是夸你你谦什么虚啊！美若天仙就美若天仙！只是关心你拿什么守住她。你有什么呀？"

他吭吭哧哧，笨嘴拙舌半天，"恒心，诚心，爱心，忠心，四颗心还不够么？"

"哈哈哈——"无所顾忌，差点把大牙笑下来了，"有四颗心你就了不起啊？差了老鼻子了，谁稀罕啊！是个人只要稍微动动脑筋，都能捧上这四心，关键是你得拿出大众所没有的啊！"

"我没钱。"他平静地说。

"这不就结了，她越向往什么你越没什么，她越缺少什么你越没什么，你就辛苦跋涉吧！祝你好运。"

小白脸理直气壮地反驳，"她不是那种爱钱的女孩！我知道！"

"你知道？你凭什么知道？呵，是你知道还是我知道？女人不喜欢钱还是女人么？自欺欺人也没你这个自欺欺人法，你现在没钱就认为你女朋友不喜欢钱，等你有钱了，恰好你女朋友也喜欢钱了，哈哈，什么逻辑。告诉你，男人与女人对钱的感觉和热爱是相等的。不相等的是女人一向缺少像男人那样挣钱的机会，所以女人更加热爱钱！对于男人和钱这对相克相生的冤家来说，后者的保障生存能力要明显高于前者，所以注意力、意志力、持久心和更热爱的程度也是按这个比例分配的。现在你感觉到自己最重要，是因为你站在了天平另一端还没下赌注的托盘里，简直骄傲得毫无道理，也盲目得可笑。不过，趁对面还没下注，你也及时行乐，大玩一把爱情的游戏吧。现在的爱情可能是真正的爱情，等你们走出校门面对各种诱惑和压力时，再没有爱情了。"

小白脸看着窗外一晃而过的树木，沉默。

"多大了你？"

"22。"

"上床了没？"

他一下子转过脸来，惊慌地，"呃？"

"你们上床了没有啊？咋这么笨？"

"没……没有。"

"笨！笨！比看上去落伍多了。看你这样劳民伤财地跑来跑去的，不就是为了上床吗？成本也忒大了点，亏你还是学经济的。你不是个处男吧？甭告诉我你是，不然咱们得撞到树上去。"

他悄悄而羞怯地，"不是了。"

"真可惜。你女朋友会不会追究你的第一次跑哪里去了？"

他清晰地辩白，"过去就过去了，追究是不好的，再说我是男孩子……"

"哈哈，男孩子怎么了？第一次的去向就有豁免权了？好笨啊，你要说'男人没有处女膜'，查无对证，死不承认，就聪明了。"

029

"干吗骗她？"

"没骗她，那是事实！"

"老姐啊，"小俊脸坦诚地小声说，"你开车真好，搭你的车也真好，不要再说那些让我难堪的问题好不好？"

"呵呵，逗逗你嘛。看你怪老实可爱的。"

"我又不是蛐蛐，您就别逗我了。"

咱越发觉得这孩子单纯得像稀有品种。现在同龄的小屁孩什么话不说啊，什么世面没见过啊，谁会害羞啊！真是的。

"唉，你刚才说我开车好，是夸奖我的车好还是我开车的技术好？没琢磨明白，再说细点行不？"

"我若说你开车技术好你会找不到北嘛。"

哇哇，这叫开玩笑么？咱立刻兴致勃勃，"会找不着北！别看咱们是往北走，一会儿停下时你会看到上海的门户。呵呵，追你女朋友多长时间了？"

他不想回答的样子，"一年多了吧。"

"你女朋友没说过你挺惹人讨厌吗？"

他的眉毛和下巴立马惊跳起来，变形幅度也最大，"没有啊，怎么可能！"

"干吗对自己这么有信心？是因为你漂亮吗？我知道像你这样的男生在追女孩子时一般惴惴不安于自己干瘪的钱袋。你的脸能当人民币使？"

他穿着洗得发白的牛仔裤，裤脚的毛边荜决不是来自手撕布，而是磨损的，很普通甚至有点寒酸的淡蓝夹克衫，要不是因为有一个绝佳的衣服架子和一张怎么看怎么不俗气的脸蛋撑着，扔进人堆里绝对找不出来。

"在大部分人的概念里，男人这张脸是可有可无的，长成什么样都无所谓，只要你在人群里混得开，挣到钱，能弄到财富，甭管是权力的形式还是暴力的形式，这个人的魅力、最大价值和资本就出来了。和你长了一张娃娃脸英雄脸寡妇脸驴脸关系都不大。不要皱眉，也不要不屑一顾，到现在为止，社会构架和大众价值观依然在塑造和认同这种所谓成功的男人。反过来，女人就纯粹和无耻得多，因为不能像男人能很快在社会上出人头地，加大了自身生存的风险，所以变本加厉地用男人高于女人的这种物种起源和生存制度的缺陷，拼命和过度开发自身的性别资源，让自己彻底沦落为架在大树枝上的美丽藤萝。现在你们处境是：她是美丽的藤萝，而你却不是参天大树，请问你什么时候能变成参天大树供她栖息？"

那个男孩打过冷战似的，绷紧了脸，霎时呆呆的。生命不能承受如此之重吧？咱很高兴呢，就得这么打击他，你漂亮你好看你帅呆你就能娶到同样漂亮好看的小媳妇过上漂亮好看的日子啊？放心吧，过不上！这样的生活对你们都不适合。强强联合不是这个联合法，一个像咱这样的女光棍和一个钱包鼓鼓的男大款把他们分拆重组了就比较合适了。金钱、权力和美丽，都是可控制的资源，按人们最功利最渴望的流动和配置才能产生最大效益和价值，呵呵。

那天咱见到了他的女朋友，那个精致得如同最优等瓷窑里造出来的细腰蜂美女，一看便不是他辈能供养得起的。那女孩子能干什么呀，娇滴滴的，一看就是从小被宠着、捧着、含着的温室花骨朵，金丝雀笼是最适合她呆的地方了，在一片温暖干净的房间里看看电视，打打牌，养养猫，懒洋洋地打发日子的尤物。

031

"打个赌，你们不会太久就分开！赌一张毛爷爷！"

那个下了车的男孩子回头用一种特别的、有点讥讽的目光看过来——他女朋友在街对面看我呢。

"我没那么多钱。"

"你赢了你过来拿钱，你输了请我吃顿你学校10块钱的校餐就行了，作为感谢我看相算命的准确。"

"好的，老姐。"

"我老吗？"

"好的……姐。"

孟辉辉，他叫孟辉辉，名字都洋溢着女人气息吧？

8

窗外下着淅淅沥沥的小雨，新鲜的树叶正做着一场春梦似的，哗哗啦啦连绵不绝的声音像接吻，于是嘴唇越拉越长越薄，挂的满树都是。

春天是一个色情季节啊，昨晚送一个客户到国际机场，回来的半路上就看见两只遛出来的狗匆匆做着露水夫妻，粘在一起拉都拉不开。于是机场大巴就停在它们后面，几十双面面相觑的眼睛心情复杂地观望着它们慢慢做完让开道。哪知狗狗们的耐力持久，可不是几分钟能解决完的。司机是个很没情调的赚钱狂，怕耽误时间，拿了一个铁家伙下去把一对无力反击的野鸳鸯强行赶出高速道，车轮贴着那一对儿下垂的屁股窜了出去。

狗总是比人更懂七情六欲，要是一男一女在人行道上干好事，甭说来一车人，光轰隆隆的动静也吓得落荒而逃了，而且男的肯定跑在前头。在对待做爱和异性上，人连给狗提鞋的资格都没有。因此人总是对狗凶巴巴的，动不动就惩罚它们禁欲节欲。

我家翠花也到了多情的少女时期，常像个骚包似的卷着雪一样的尾巴在小区花圃周围招摇过市。邻居家的小流氓可不用勾引，一见它青春的身影便屁颠屁颠地跑过来献殷勤献身段，抛香吻甩媚眼什么的，赤裸裸地大肆表白一番，就要霸王硬上弓了。翠花见识也不少，早就知道进入女性紧俏资源时期了，一再卖关子耍宝，常常把邻居二哥们逗弄得火冒三丈，肝火虚升，当然还是不能得逞。

当它以胜利女王的姿态优雅而得意地独自爬上楼梯往家里跑时，咱一般会把它关在门外，浑身脏得要命，自己显摆足了，谁乐意给它收拾残局？

老爸老妈都不在家时，小臭东西便在门外狂叫，叫得邻居们都在背后骂咱。让它进来吧，却不肯老老实实地一边玩去，就在脚底下当绊脚石，灰尘落得满脚趾甲里都是。

好吧，那就洗洗吧。往马桶里狂倒洗发水，然后把翠花出其不意地扔进去，盖上桶盖，坐在上面。就听里面扑扑腾腾稀里哗啦的声音，五分钟后，拧开关哗哗啦啦地冲水。基本上觉得泡沫冲完了，掀开盖，翠花湿淋淋的烧鸡似的夺命窜出来，一溜烟跑得无影无踪了。

这下可没人再烦咱了，躲到卧室里继续看毛片。

看完毛片，关上DVD，换上柔软的牛仔裤和宽松的外套，雷伊的电话正好响起来。法国人要去看花梨木家具，只要有空，就一趟趟不厌其烦地到处逛古旧家具市场，尤其热衷于明清式收藏品。看来，男人过了对毛片兴趣的年龄才真正建立起高尚的品味。

跑下楼时，看见翠花正抖抖索索地在阳光下晒毛发，委委屈屈娇娇嫩嫩的，邻居家两只小二哥正殷勤而虔诚地帮它舔毛。

老爸出门时千叮咛万嘱咐不要让它随便出门与狗私奔。咱偏不认同，女性成熟了便有成熟的梦想和追求，看着管着该成单身妈妈的还是能成，不如索性放出去，万一怀不了孕呢？不是惊喜嘛。

翠花有点恨咱，看到了竟抗议似的汪汪叫起来。唉，总有一些智商低下的家伙不识好歹！

法国男人穿得悠闲而洒脱，开一辆爱国雪铁龙系列的中档车。估计现在赞美他具有法国浪漫男人的风情一定令他不悦，上司一直对"浪漫"的看法如同法国的葡萄酒兑雪碧一样的厌恶，和直接说他是花花公子没什么两样。

"呵呵，今天看起来很性感啊！"那个老男人看过来笑。

"哎唷，是夸我呢还是夸你自己呢？先解释何为'性感'吧。"

"性感……就是容易被男人骗的那种。呵呵。"

"容易被男人骗？哈，你不是指'痴呆'吧？"

"是《花花公子》的老板这么说的。"

"《花花公子》的老板你也信啊？也就是一特大号色鬼瞎喷喷。"

033

雷伊立即全排露齿地大笑起来，"估计一多半男人会把'性感'与性和床扯在一起的。"

"哈哈，觉得你看起来也挺像的。以前没少哄过女孩子吧？"

"那当然。你是说我性感？"

"不，是痴呆。"

他又快活地笑，"没见过我这样又帅又痴呆的吧？告诉你一个真理：在巴黎我也是美男子级别的。"

"呵呵，真对不起你这个老美男级别的，我的西方审美观很单纯，除了苏菲•玛索，其他一律一个样。"

"哦，哦，苏菲是女人耶！"

"是女人也能代表法国，美丽，性感，浪漫，容易让人想入非非。你要与她站在一起，全体中国男人没一个会看你一眼，全体女人也不会看你！别以为自己是根葱似的。"

"哇，抗议！"雷伊的蓝眼睛表现得很激动，"抛开男人不说，我还是你上司！"

"你是男人你是上司你了不起啊！我还是女人还是下属呢！法国平等精神中可没有女下属要对男上司惟命是从的！"

年轻老头开始叹息："中华民族尊老爱幼的优良传统你总该记着点吧？"

"干吗？你又不老我也不幼，不用钻进去寻找庇护吧？"

"你这个搭错筋的！"

"你这个吃拧了的！"

"好吧，我吃拧了，把你请进我车里单为了吵架！"

"好吧，我搭错了筋，不在家里睡觉出来找气生！"

"咱休战行不？帮我挑副好家具，用你吵架的不挠气势均把价砍下来，中午请你吃宫保鸡丁。"

9

吴家敏把最后一笔一百多万的支票签了。给得很痛快。到目前为止，九百多万的合同款除了5%的质保金外全部结清。

"也得把青岛的度假村和云南酒店的项目给我，又没挣你多少钱，给谁做不是做啊老姐！"

"你去设计院叫设计师把你的东西设计上吧，省得你整天疑神疑鬼的。"

"你先打个电话嘛，我的话不如你的好使，他们干吗买我的账？"

"好了好了，放心吧，设计院的副院长跟我很熟，哪天见面时你也一起过来，看看他那里的其他项目你能不能做。你这样拼命干，法国人给你的好处够不够啊？"

"说定了，到时候我一定去。"

喝过咖啡，咱刚要回去把支票入账，又被吴大款拉住了，"珊，我可能结婚——"

035

"哇，老姐，火箭的速度啊，这么快！"

"听我说完嘛。我想结婚又想保住家产，又担心他的顾虑……"

"你是对他不放心还是对爱情不放心？"

女富翁叹了口气，得了便宜又心事重重的样子，"这两样都不能让我放心，说离开抽身而退很快的，就怕哪一天人财两空。他比我年轻那么多，虽然现在很好，说不定哪天不好了呢？"

"爱情就像盖酒店一样，都有风险，但又不能上保险。你何必结婚呢？同居着就可以了，效果差不多，还省了麻烦。"咱就是觉得不够明智。

"他想结婚啊。我也觉得结了稳定。"

"结了稳定？没听说过。婚姻的圆心和爱情的圆心结成同心圆了怎么都好，如果不同心就是麻烦。据我所知，大部分人都是不同心的。爱情磨光了，婚姻却像上吊绳似的扼着脖子，表面看起来婚姻使爱情长寿似的。"

"不结，我怕他建立不起来家庭责任感，哪一天拔腿跑掉。"

"结了该没责任感的还是没有，该跑的也会跑，婚姻哪有那么多特异功能啊。再说它存在这么长久了，该变通一下了。干吗你担心啊？奇怪，在外人看来，至少我看来，他在高攀你啊！你的财富已把他的年龄优势抵消了，你和他是平等的，不对，你还高一个台阶。你那么聪明，手中有牌，好好利用吧。"

但陷进爱情迷魂阵的吴家敏显然脑子不够用了，爱情魔法战胜了清醒的理智。"关键是我已经答应了他的求婚，我不能出尔反尔啊！"

"他怎么向你求婚了？大庭广众之下，单腿跪着，手捧一朵玫瑰，你就不知道自己是谁了？"

最后一句话好像冒犯了她，她停顿了一下，不甚热情地嗯了一声。看看，这就是禁欲和中学生不准谈恋爱的结果，如果对这浅薄的一套熟视无睹见怪不怪了，谁还这么情迷心窍得到一个男人单腿下跪和玫瑰就像得到了传说中的皇冠！

"好吧，你自己决定最好。然后要求财产公证，即使将来他万一变心了也不至于分走半壁江山。"

她有些激动，"本来我也这么想，但担心他以此怀疑我对他的感情。"

哈哈，多么虚荣的女人啊！想得到一个年青男人的身体和感情又想一毛不拔，白使唤人啊！？你凭什么认为你理所当然应得到啊！以为抛弃掉家产与背景你还有和他的优势相对应的魅力么？差距让金钱和地位弥补了老姐！迷信爱情迷信得毫无道理，真是可笑！你是站在了财产的台阶上在和他对等地谈恋爱，抽掉脚底下你还有什么啊？站在人家老兄的角度，简直是吃骨头不吐渣啊！你不妨签一份交易条款详细分明的合同为上策，

两年为一单位，逐年递增，婚都不用结，2年10万，4年25万，8年100万，10年150万，15年200万，20年300万，25年500万，30年800万，40年2000万。如果他能陪你40年，不妨把你家产一分为二，让他与你女儿平分，或者干脆给3/5。你现在已47岁了耶！

于是跑出去抽了张A4纸，用大大的字体简洁地把上述数字写了下来，一言不发，交给她就离开了。怎么对自己对他对爱情更有利，各取所需，数字仅供参考，可适当调整，还不一目了然吗？

跑回家，老妈一个劲地呆呆地看咱。

"看什么看？漂亮的脸蛋长大米了？"

"什么大米，在数你的皱纹！在我家里变老真叫我受不了，生闺女真是罪孽！"老妈已激动不起来了，特沮丧。

"什么皱纹啊？我哪有皱纹！别动不动吓唬我！"跑到镜子前左看右看，自我感觉依然良好。"和年轻光彩的我在一起，你还嫌我有皱纹！"

"哼，我有皱纹是应该的，你说说你凭什么有皱纹？"

"就凭没嫁人也一样一年一年地变老，行了么？"

"抽点时间看看医生吧。"老妈眼巴巴地。

"什么医生？哪是哪呀，真是的。"

"你上次说同意和人家见面呀！"

噢，想起来了，不想让老妈伤心，热情地点点头，一下子想到大群斑马和雄狮奔跑的原生态的非洲，哈哈，哪一天在中国呆烦了，可以鼓动老公去搞援助，然后在那里置500英亩土地开发，万一后院里发现了石油或金矿，就发大财可以牛B哄哄地周游世界了。

"腾出点时间，人家给你电话，说在哪里见面你一定要去啊！"

"好的。"

"说话客气点！"

"好的。"

"别动不动呛人家，显得咱没管教好似的。"

"好的，肯定让人家觉得此女的老妈功德无量！"

"文静贤淑一点！"

"好的。"

"别胡乱评价人家妈妈！"

"好的。"

"别争着付钱！"

"好的。"

"别提前回来，别张牙舞爪的！"

"好的好的。"

"人家要提出到家里来看看，你要答应下来！"

"好的。"

"还有……那个……"

"好的，好的。还有么？"

老妈终于满意了。恨不得替咱前去，然后不管三七二十一都先答应人家，然后等着人家抬着花轿上门，一把把积压存仓货推出去，再然后关起门来笑眯眯地数钱。

呆在家里的感觉像垃圾股一样，在逐渐贬得毫无价值。

"老爸呢？忙什么？"

"翠花现在比你重要，领着翠花玩去了。最近小区里举行动物大赛，奖品是彩电、洗衣机、相机什么的。"

"你怎么不去喊加油？"

印象中老妈对社区的热闹景象一向是捕风捉影，重在奖品，也在参与。

"我与你爸不一样，我觉得你比翠花比大赛比奖品都重要！万一能把你嫁出去，别说得奖，白玩都乐意！"

"你就放心吧，我不仅不会嫁出去，翠花连个奖毛也不会捞上，你和老爸是铁定白玩了！"然后心情很差地跑回卧室，砰一声巨响关上门，飞吻了一下挂历上本年度环球健美先生前三名鼓起的小山丘似的肌肉块，顺手把李林的照片放在屁股下面，上网找个帅哥丑哥痴哥呆哥骗骗。忽然QQ里告急，翻出来一看，一张张或哭或闹或颦或笑的婴儿脸飘了出来，美的那叫恐怖哟！小胳膊小腿儿，青蛙似的，让人心惊胆战的。这么小小的小动物得花多少银子和时光才能长大成人哪！更叫人毛骨悚然的是小东西竟开口闭口叫干妈，还调皮兮兮地叫抱抱。妈呀，妖怪啊！

　　于是立马咬牙切齿地给那个不知自己多少斤两并自以为是的泼妇回信："走开！别拿你家大青蛙骚扰我！会生儿子了不起啊！有种生个老虎啊！切！我肯定生出一堆东北虎，等着瞧！"

　　一会儿电话响了，那边是嘴巴笑歪的声音："虎妞他妈……"

　　"靠，你有完没完哪！是不是吃猪肉吃撑了！"

　　"呵，俺是青蛙王子的年轻的妈妈，给你家未来的虎妞提亲来了……"

　　砸上电话，跑到新浪的紫禁城之巅，给自己取名为"国色天香点石成金第一美妞子"。登陆上，找个出气筒还是小菜一碟的。

10

　　也许是出于习惯，或生存,或使命,咱大脑对待工作就像电脑对待一堆文字一样，有N个不同的处理方式，只有一种最正确最美观最能让人接受。对于突如其来的不同环境下的不同寻常的问题和困境，咱的大脑中央处理器总能迅速运转、解析，及时找到不完美但最恰如其分的解决办法。有时也靠本能——本能就是老虎来了，你不是坐以待毙，而是撒丫子拔腿就逃，或噌噌地爬到树上，或扑通一声跳进水里，诸如此类所有脱离困境的有效方法。和与生俱来的聪明头脑比起来，似乎后天的经验和阅历更加重要，也更有成效。与男人比较起来，女人本性中的优势更多，除了潜在性别中的细腻和胆小造成的缜密外，也更不知疲倦和更少心理障碍。

在一块空地上一个男人和一个女人打对攻，胜率估计在99.99%，和最好黄金的成色一样。但每个人手里都有一把AK-47，对着扫射，胜率就可以对半了。但都拿着相同的高科技武器，在一座森林里玩致命游戏，不用打赌，女人拥有胜利的把握在70%以上，信不信由你。

现在在中国庞大的高山和平地的丛林里，咱持有法国最好的武器，与德国人和美国人到处开战打游击，结果自己的劣势慢慢扭转了，势力范围在慢慢扩大。最先开花结果的是天津、河北，接着便是眼皮底下的北京，等待下重手的是东北三省和黄河流经的几个省市，当然沿海为重点，有钱嘛，拿山东江浙几个省都不会去换西部十来个穷地方。贫穷有什么好，谁把你当一盘子菜！

的确，咱也有累的时候，尤其是当枪把上挂着一串串猎物时，就想找个舒服的地方喝口好茶，睡一会儿，为明天的智力游戏继续养精蓄锐。

每天下班后跑到附近的餐厅里大大吃一顿，然后悠悠荡荡到各个不太吵闹的酒吧里浪费俩钟头听听音乐，喝喝啤酒，骂骂人，调调情什么的，见个帅哥不声不响地带回去，天亮再放回来，倒也逍遥快活。至于李林，对不起，常常想不起他来，太熟了，熟到忽略不计。但希望他不要伤心，也不要拘泥于形式，没事闲得慌时找几个沪上妞泡泡也是不错的。对等，也平衡。

平心而论，俺喜欢的男人多种多样，很俊的，像孟辉辉，看见了不去抓有对不住自己的感觉；传统直白的主流男人，像李林，上他的车没有精神不正常的压力，他的正统乏味掩盖了咱的边缘和鼓噪。咱也喜欢天才脑瓜型的男人，但命苦没碰上，如果遇到的话一定出点小钱包养了，让他安心致力于发明创造。这种男人一般在性上比较白痴，要求也不甚高，成功后估计他不会吝啬于给咱一半的功劳。想想看，流芳百世只要赶上，也是很容易的。

咱坐在吧台上贪婪地吃着冰淇淋，吃得手脚冰凉，这么好吃，不会胖死吧？不会放了鸦片粉末吧？敢这么害咱，一定手起脚落拳打脚踢扁死他！不知出于什么原因，一抬头竟看见头儿雷伊那大号坏蛋端着红酒像喝毒药似的一小口一小口地品尝。北京城不小呀，咋冤家的路这么窄？那厮正和一张脸画得像风情画一样的女孩子有一搭没一搭地闲聊，故意没看到咱似的。

咱也不愿意碰到他，就是受不了这样显摆装孙子。于是也要了一杯红酒，拿了几个大冰块噗一声丢了进去，又噗一声丢了进去，不怕你看不见。

果然那边受不了了，气急败坏地冲过来嚷，"上帝啊，红葡萄酒是不能放冰块的！不是糟蹋法国红葡萄吧？就像我在长城上扒拉砖块一样的！"

咱端起来一口气喝下一半，哇，好喝！又要来一瓶易拉罐，把雪碧掺满了。文质彬彬的老头气得捶胸顿足要坐到地上放声大哭了，"你这个搭错筋的，简直毫无品味可言！"

咱又给他要了杯，按1：1掺兑好了，推给他，"是苏格兰红葡萄酒，味道好极了。"

041

谁说法国人是葡萄酒和优雅格调的守护者呢，只能说是法兰西趣味和爱好的忠贞者，不能忍受波尔加红葡萄酒加雪碧，而津津有味地品尝了加雪碧的苏格兰红葡萄酒。没有纯粹的世界主义，只有爱国者。

"看看你女朋友的头发，染得一片金黄，成熟的麦田似的——也像掺了雪碧的红葡萄酒。其实我更喜欢她染成蓝色、红色、绿色、白色，什么色都行，我喜欢真正的特立独行和心灵自由，不喜欢随大流的copy和自我否定。咱就是看不上她们对你这些有莫名其妙心理优越感的西方人的追捧。"

"你妒忌了？"

"才不，觉得她们拉低了我的自尊，我得站在你头顶上才感觉平衡。来，向那些黑头发和染成绿色蓝色真正世俗的挑战者表示敬意！也为你一片拥护法兰西红葡萄纯洁的赤诚之心深表敬意！雷伊老爷子，您多大岁数了？对不起，你好像告诉过我，我给忘了。忘记别人的年龄是可以原谅的。你可以告诉我你属什么的？"

"上个世纪的一只羊。"这个中国通还亮出了脖子上挂的玉质羊挂件。

"山羊还是绵羊？"

"你是长毛兔还是短毛兔？"

"哈，老兄你智商挺一流的嘛，我以前眼光还真有点拙、拙……"唉，舌头有点大了。

"珊，喝多了吧？几瓶啤酒了？要不要我送你回去？"

中国男人和外国男人一样，老到一定岁数就看不到老了。相较于老，雷伊老爷子更显得优雅和成熟。这是个情商和魅力都到了家的男人，只是害怕脱掉笔挺的衣服后，那松弛衰老和下垂的皮肤让人倒胃口。年龄真他妈的能捉弄人啊，无论男人还是女人，智慧、才干和魅力总是和年龄、美貌与年轻成反比发展着，在哪里寻找到那稍纵即逝的交叉点啊！

042

当我年少貌美如花时，我就像个白痴，等待有人行骗；等我聪明世故得像泥鳅似的，最好的年华已离我而去，计划着去行骗别人。雷伊应该比咱更悲哀，他太老了，老得不能让我再看他一眼。

"我可以送你。"

"送我到哪儿？"

"哪里都可以，也可以到我那儿。"

天才知道他那儿是哪儿，也许是干净富丽的星级宾馆的宽大双人床上，也许是自家私密的居室。如果他再年轻二十岁，不，十岁就够了，我会带他到我那儿，无论哪儿，一定要为自己的快乐买单，外加一顿早餐。

"谢啦老爷子，我有其他人了。"

咱摇摇晃晃走向另一个在窗前一直看我的男人。他在后面说："你不是有男朋友了么？"

"你也有老婆！"

"我老了？"

"不是，是我太年轻！"

等咱的哥们是一星期前在酒吧认识的，看在他年轻跃跃欲试的份上，让他去医院体检一下，重点是淋病和AIDS。就目前医院效率，起码得一周。因此一周后他按时出现了。

"姐姐，我开车来的。"

"那就上你的车。"

"去我家好不好？"

"你家里有其他人么？如果有，不去，讨厌被人打断，对你的性健康也是有害的。"

"没有，我家只我自己。"

在大街上，伸手讨要。他忙把医疗清单递上来。咱在路灯下一页页地翻着，只看结果。一切正常后，扔给他。"检查后没与其他人上床？"

"绝对没有，我保证！"

"你凭什么保证？"

"不凭什么——凭说假话老天爷现在就打雷轰死我！这一周太兴奋了，只等着姐姐这一天，哪还顾得上……天打五雷轰行了么？"

咱这才放心地坐上他的车。"你叫什么来着？"

"周松树。"

"我说周松树，小周，你家楼板不太薄吧？"

"放心吧，别人听不到我们。"

"我是不想听到别人，楼上和楼下的……"

11

在中国北方几大销售区域中，没有比东北再难搞的了，也没有比东北人更不像话的了，地区习气积久成灾啊！野蛮，封闭，僵化，酗酒，动不动就动手打架。一个外地人想在东北干点正经事，就等着被扒两层皮吧，趁第三层没被扒下来，捡条小命赶快逃吧，命中注定这块肥沃的黑土地结不出仨瓜俩枣的。

在德国诺玛时就被几个项目弄得焦头烂额，本来买东西给钱按合同走账是天经地义的事，可那帮东西就偏把自己看成太上皇，自己怎么合适就怎么来，一点儿也不在乎别人。打官司吧，人家不怕，法院就像他们自己开的，仔细一琢磨，还真是他们自己开的，他们给法院的人开着工资，掌握着法官的任命权，还不说什么是什么！要不是后来一个劲地塞现金，把上上下下全喂饱了，那几百万怎么可能结得回来！

不过东北市场也不能丢，那帮人不是不给钱，也不是没有钱，只是路数不对。眼见美国特普和德国潘伟业在那里逐鹿，咱可睡不着觉，把东北出身的江士侠派回老家去，花点钱没关系，一定不要让高含金量的大单跑掉。

江士侠过去两个月了，每周打电话回来汇报一次或两次，正和潘伟业角逐沈阳一条著名商务街上大盘写字楼。光前期费用就花了十多万了。咱就咬着牙顶着，其实六个一线骨干业务员和下面十来个新来业务员每月光这种不明不白的费用就十几万，几十万，越是落后地区这种不清不楚的花费越多。这还不算回扣，回扣咱不心疼，只是人家把左口袋里的钱放进了右口袋里，国家的钱放在了私人腰包里，是当地纳税人的钱又不是咱的。

你大可不必声讨咱为虎作伥，作恶使坏，帮着那帮有权有势者坑害百姓。这可不是咱的错，我们是按游戏规则追求最大利润，我们不干别人也会干。但在有些城市我们就不这样干，也不用干，人家报价、投标、签合同、回款等一系列流程很公正很透明，我们也犯不着乱花钱把自己名声搞臭嘛。说白了也是入乡随俗。江士侠很快打来电话，"甲方老大皮总要8个点的回扣。"

"他妈的价格还没定，就先忙着要回扣！给他！但你要告诉他不准把价格压得太低，羊毛不能出在猪身上！"

"可能他还要低价。低价中标。主要竞争对手是潘伟业，我们不如诺玛有价格优势。"

"甭管，先答应他，价格是人做的，能低下来也能高上去。"

又过两天，中午快临近吃饭了，有电话打来，024，区号是沈阳的。来人自称姓黄，公事公办一本正经的样子，粗门大嗓，很大爷地问伊曼最低价格多少钱啊？咱走到窗台前打开窗户，把大街上各种喧嚣放进来，很抱歉地说："黄先生对不住，我在楼下停车场门口正要出去，这儿太吵了，请你稍等几分钟，到楼上用座机给你打过去，咱们能清楚地对一些问题开诚布公地谈一下。请您稍等，5分钟就够了。"

然后又关上窗户打通在一线作战的江士侠的手机，把刚才的事简洁明了地说了一下。"黄是什么人？什么职务？"

"主管我们这个材料的，他初步把关，由老皮拍板。"

"他打来的电话，有没有皮在后面操纵？"

"我认为有。我常和他们见面，觉得不是普通的询价，而且我们的价格他们很清楚。前几天我刚把你的电话给了他们，他们可能在确认最低价。"

"现在诺玛行市怎么样了"

"潘伟业很积极，金钱和婊子全都用上了。如果不是我们，肯定是他，他有价格优势。"

扔下电话后，又打通黄，很亲切地问候了他，然后很为难的样子。"伊曼的价格530是正常成交价，降下10块都很难。咱们的项目即使当特例，也只有八九块下浮的空间。做生意我们可以微利，为了战略利益和广告作用可以没利，但不可能赔本来做。请相信法国产品在同行业中是最好的……"

那边又在其他配件上闲扯了几下子，口气愉快了很多。还口头上邀请他北京来玩，他口头上答应了。

挂上电话后，又遥控远在现场冲锋陷阵的江士侠："投标书做好了

045

没？"

"明天做好。"

"把单价降至507。"

"哇，比诺玛还便宜，能做下来吗？"

"哪里亏了哪里补上来，降！诺玛能做到的最低价510左右。想签下这个项目必须这个价！不可走漏风声，对外宣称还是530！"

妈妈的，比比谁的智商更低吧！不是还有配件吗，配件可以卖高一些，定了新娘婚纱还能跑了？为什么婚纱不能比新娘更贵？真是的。

一星期后就开标了，江士侠第一时间打来电话，法国伊曼中标！开标那天，兴致勃勃的甲方老总和志在必得的潘伟业却傻了，没想到我们竟比他们每件只低0.8元。

呵呵，俺早说过，经验＋智慧可以打败关系＋金钱的。当然钱这边也没少花。做工程就是做麻烦，心急了不行，太高清或太清高了也不行，一本糊涂账更不行，没有什么是理所当然的。一句话，你就耐着性子解决一个个该出现和不该出现的问题吧。

有些问题还可笑可恶至极。江士侠的这个项目本都中标了，按规定都该把合同拿回来了，可甲方在犹犹豫豫推三阻四地推脱就是不想签，你中标了也不想签，价格低也不想签，明摆着后悔了。那不行，按游戏规则我们赢了，想反悔没门！现在是我们亲爱的党的天下，是你的天下你就想翻手为云覆手为雨啊！你不是常爱搬弄大道道讲是非吗？好吧，咱就讲讲！于是捡了一个黄道吉日的上午给一把手皮总打电话，可不是吓唬他。

"皮总你好！按说我们的合同该签了，也许您还有这样或那样的考虑，不管怎样，伊曼都是中标方，您的项目应该由我们来做。为此我们也花了大量的人力物力和财力，也配合了您大量工作，应该说功劳和苦劳都有。如果您想签别人的，对不起，恕我直言：我们会立即在京召开记者发布会，请不要忽视我们在媒体界的朋友，也会通知法国新闻界——为了该工程，我们不惜扩大到外交事件！然后到法院起诉，我们会请中国最好的律师，相信有了媒体和大众的监督，我不担心有人在人证物证面前再偏袒本地势力！还有，按照规定，即使废除我的标，您还得补偿给我70万！请三思！至少到目前为止，我们还在等着为您提供最好的服务！我本人和在现场负责协调的工作人员随时为您效劳！"

妈妈的，大概就是这些话。我做了我该做的，说了该说的，然后是等待。

第二天，江士侠打电话来说马上准备签合同了。下午三点她乘飞机回来了，带来了伊曼公司在东北的第一张订单：870万。

12

按协议该咱去上海了。不想去，不划算，北京大街上有形有款的男人有的是，大老远的跑到上海会一个再熟悉不过的男人总体上缺乏激情和诱惑力，飞机失事了怎么办？万一呢？人命关天，可不是闹着玩的。若换成孟辉辉那衣服架子小俊脸还差不多，调调情，刺激而新鲜，勉强还说得过去。李林小茄子似的，还是免了吧。愿意来北京那是他的事，本也可以在上海找个妞就地解决了的，时间空间都给了，不充分利用可怪不着别人。至于爱情，哇哇，还是别提这一壶了，快酸倒俩大牙了。

睡觉前给小孟同学拣了条比较适合的短信发了过去：嫁到俺村吧，俺村条件不赖，穿衣基本靠纺，吃饭基本靠党，致富基本靠抢，娶妻基本靠想，交通基本靠走，通讯基本靠吼，治安基本靠狗，取暖基本靠抖。

撩拨撩拨他，看他撑多久。漂亮男人就像漂亮女人一样，都是稀缺资源，看着他和她擦肩而过是你的事，争夺争夺，像争石油夺黄金一样，也是人之常情嘛。本性上来说，咱不打算让任何有利可图有机可乘的好人好事像泡沫一样白白溜走，抓不着没办法，万一抓着不是赚了嘛。从概率上讲，就有咱赚的可能。概率问题总体上说是比较玄的，但一不留神会给你个惊喜。

047

第二天还没起床，有人怯怯地敲门。还以为是王佳，这房子原是她的，小二居，却离我公司近，就常跑来睡觉。就像大白天看见鬼那样打开门，怔怔地看着——孟辉辉。

"姐姐好！"乖孩子诚惶诚恐地说。

"弟弟好。"想了三秒钟，决定让他进来，然后再叠被清理房间。

帅哥很好奇的样子，东瞅瞅西望望的，看了看凌乱的床，没见过的样子。

"吃了没？"

"没……没呢。"

"去厨房做吧，我也没吃呢。"

把他支进了厨房，回头找袜子，另一只跑哪里去了？

"姐姐，没有材料，做什么嘛？"

"给你钱你下去买。"

"我不熟，去哪里买？"

"那就煮方便面吧。"

"早上吃方便面啊！？"

"没吃过啊。"

那边没了声音，有铲刀掉在地上的响声。

是不是在抗议？马上支起耳朵听，"你什么意思？"

"没意思，不是故意的……不好意思。"

"嗯，还有鸡蛋，看着做吧。"敢说不会做饭？终于在床底下把袜子找出来了，有点纳闷，怎么躲这么深哪？一切收拾利落了，见辉辉——多别致的名字啊——正收拾餐桌，准备开饭。

"会做饭吗？"

"会啊！"

"会做什么？"

"方便面。"

"方便面呢？"

端上来的全是鸡蛋啊，白白黄黄好大一片。

"只有半包，就让鸡蛋凑数了。"

"多少鸡蛋？把卖鸡蛋的打死了？"

"十五……十六个吧。"

前天刚买回来五包方便面，难道让王佳和马克这对坏蛋偷着煮了？懒成这样也不懒死他们！

"把我吃胖了怎么办？"

"你胖点会更好看。"

这话说的多中听啊！一个人吃了七八个荷包蛋与极少的几根面条，然后领着小乖到附近的保龄球馆把多摄入的高蛋白高热量消耗掉，总不能转化为脂肪囤积在腹部吧。

辉辉高兴的，小外套一脱，练过舞蹈的绝佳比例的身材像游鱼般自由地在场地穿梭，要多养眼有多养眼。周围一些人全看我们，尤其是女士们，一副愤愤不平的德行，不就是妒忌俺老牛吃嫩草吗？大门开着，有本事你也去吃啊，千万别来什么道德高尚之类的，妈呀，受不了。爱美之心人皆有之，又没人拦着拉着你。

人人都有成为中心成为受人瞩目角色的潜意识，瞧辉辉那小贱样就知道很喜欢交际花少那种举重若轻的感觉，也许我没本钱把他培养成超级花花公子的头牌，但可以提供一个享乐的通道——但得在这个通道里完成本阶段我们之间的供需平衡。

俺早就说过美男不都是白痴，何况辉辉又是学经济的，知道不可能有免费的筵席。当天下午便上床了。年轻真是好啊，22岁最接近原动力，震憾，热烈，激情澎湃，根本不用去掩饰，和32岁知天命的李林比起来，告诉了你什么是青春的力量。

完事后，咱冲了个澡，披着浴巾坐在沙发上，叼起一支骷髅牌香烟，把烟雾吐成片——圈圈不会喷，也觉得会喷没什么了不起，有本事你喷幅

049

国画试试！真是的。床上害羞的男孩像个婴儿一样，只露出两只眼睛向外张望。喜欢引导别人的领袖感觉，像引入一个万花筒般的成人的殿堂。

"在外面被人使用，回去怎么向你小女朋友交待？"

他懒懒地搔着头发（俊俏的男孩子会扮靓耍乖啊，呵呵），"没什么，她在外面也被人使用。我也没说什么。"

"你得试着理解她，女人有女人的生存风险。你和她不同，你击倒和统治别人的机率就比她大得多。"

他想了一下，"我觉得机率不大。"

"那她就更不大。"

他好像叹了口气，"你上次说得对，女人都是爱钱的——今天我来，不是个错误吧？"

咱立刻忍不住笑起来，"不错不错。你是被逼上梁山，她不逼你不刺激你你就不会上梁山。有什么样的起因就有什么样的结果，兴许你觉得梁山不错呢。"

孟辉辉狠狠地抱住了薄被，脸埋了下去。

"调整调整心态吧，别把什么事都想得太纯粹美好了，起码我没折腾你吧？也没折磨你，以后也不会。这才是男人和女人在一起的样子。起床吧，下去找个地方吃饭，吃饱了好好整理一下思绪，该怎么过还是怎么过，我不会难为你。"

他光着青春的屁股找内裤，还是有些高兴的，背对着，不看咱，终于鼓足了勇气。"那次在你车上，你就看上我了吧姐？"

"叫姐我扇你。"

他愣了一下，很乖地垂下头。

咱在点第二支烟，"你还是挺聪明的，居然能看出来。"

"很多姐姐阿姨级别的都喜欢我。"

"到目前为止我是胜利者——你不是常上这个床那个床的吧？"这种紧张很本能。

他回眸一笑，"没有。极少数的几个。"

"听着，我不要求你对我忠心，但你不能把其他女人的东西带进我体内！否则……如果还有下次，你必须先去医院体检，害死我，我会杀了你！"

一般从小就受注目受宠爱的孩子都养成了一种在困顿不利时刻耍乖耍宝装糊涂装傻来化解的小聪明和小招数，孟辉辉立即天衣无缝地又钻进被窝耍起赖来，以示温柔地抗议。咱立刻入乡随俗地上前拉他，拍他，哄他，宽宏大量地拥抱了他，然后下楼吃饭。

妈妈的，有本事去宠爱一个人真叫洋洋得意啊，比被宠的得意洋洋有骨架有脾气有品味也有方向感！

吃的火锅，两大盘嫩羊肉，广告上说是从内蒙古运来的。咱不信，从内蒙古火车运来怎么还嫩啊？要是空运，这个价格，还不赔死你丫的！这年头没几句是真的了，就像爱情一样，瞧瞧小孟哥现在挺兴奋的，回去不知怎么向另一个傻妞撒大谎呢。从有爱情的那一天起就有了谎言，肌体中的免疫力早就像钢板那样抗击打抗地震了，不说谎才有生锈和退化的危险。不仅他说，我也得说，李林正在上海那边跳脚呢。笨死了。

051

傍晚就把他打发走了，给足了打车费。不能让他觉得咱贼需要他，反过来就牵着我的鼻子走了。要他，就要适当地冷却他。

晚上给上海打电话："公司里忙啊，烦死了，可累坏了！里里外外一大帮人，没一个能真正帮我的！今天到现在就吃了两顿饭啊！腿都不是我的了，得把表睡一圈，睡到明天太阳落！"

"下周来吧？"对面似乎很心疼，也很期待。

"尽量吧……好吧，我发誓，就是天上下刀子也要顶着锅去！"

撒谎就像自来水，水龙头一拧，源源不断地流出来。想都不用想，张开嘴巴就行了。对方要是个老实巴交的，效果就更好了。

13

晚上回到家，老爸老妈正闲着没事穷吵架。很多时候都是这样，本来说话说的好好的，有几句磕着碰着没说到地方，情形急转直下，立刻粗门大嗓地指责对方的不是。尤其善于挖老底，七年前的豆腐渣，八年前的芝麻饼全拉出来敲打，集结成一串串的，全是有时间、地点、人物、事件、经过、高潮、结尾的夹叙夹议文。谁说人老了记忆力衰弱不好使呢？

"……想当年……要不是我操持这个家……你早就……现在又怎么对待我的？"

"现在我对待你还不好吗？在家里党政军一把手，政权财权否决权全你一个说了算，说过去还能说回来。我都认了，不能与你整天小吵，也不能动不动就打架，你说了算就算了，吩咐下来我连个不字不说就去干。你说做饭做烦了，好，我来做，我不烦，吃饭不烦做饭就不要烦。你嫌出去溜弯一个人，那我什么不说，你一出去玩就陪着；你嫌我不说话，我就偷看闺女的短信笑话讲给你听，你也笑得合不拢嘴嘛！有什么嘛，不就是一不留神把你不喜欢听的话连讲三遍了嘛。我要是你，我就当作什么也没听见。"

"我干吗装没听见啊？撒谎比容忍更好啊？有你这样省心的吗？说你两句你有十句等着！"

"刚才不是你让我有理说清楚么？"

"叫你说不是叫你喋喋不休！气死人了！做两次饭也要表表功，怪不得上梁不正下梁歪！闺女越来越像你的臭德行，不叫人说话！"

呵呵，终于扯上咱了。以前喜欢老爸老妈在不影响大局情况下小规模地吵吵，转移转移矛盾嘛。城门失火殃及池鱼时，也不免泼盆冷水。"老妈啊，你这上梁正了，我这下梁想歪能歪到哪里去啊？甭有事没事地欺负俺老爸老实人，无论个头、体重、质量、规模还是人缘老爸强多了，况且做饭给咱们全家人吃，可谓劳苦功高。当然你也功高，但没老爸那么高。以后说话谦让点，老爸多好的人呀，要是当个甩手掌柜把一切都扔给你，你也不是没脾气么？使唤人……"

老妈恨不得冲过来打我了，老爸眉开眼笑地挡住，净说好话："她充打抱不平乱说说嘛，还真跟她一般见识啊？"

老妈矛头全掉转了，"不教训她，她会踩着嘴巴上鼻梁！"

"还有啊，以后想吵架调剂调剂气氛，目标选好就照一个方向有力点打，别越说越多，说了这个说那个，打击面扩那么大能照顾得过来吗？话多必失，记住。刚才那架要我替老爸与你吵，呵呵，说个不好听的，你哭都找不到地方。"

哇哇，捅马蜂窝了！老妈在老爸胳膊那边踢我，用围裙甩我，用手指头晃我，忙个不亦乐乎。

"使唤人——把刚才一句话说完——使唤要讲究技巧和策略，没有无缘无故的。像老爸这么一个又酷又温和的新好男人，要是使用好，使用恰当，至少还有一倍的潜力可供挖掘，你能生活得像王母娘娘！"

老妈不闹了，老爸反过来开始苦笑。"丫头，不能里外三刀啊！"

"哪用三刀啊，你们这种事只能一刀切！说起话来不记对方的好，只记着自己的付出，什么什么呀，你们要真像你们所说的自己有多了不起，我早该读博士啦！可我不是嘛！"

老妈正经地板起脸，"说话不能昧良心！"

"昧良心？老爸对你多好啊，不昧良心你怎么这么不遗余力地排挤他？"

老妈又跳脚，伸手拿了花瓶又放回去——多少算件古董，值点钱——终于拿到一个粗碗，又被老爸抢去，宝贝似的放在一边。

"是翠花的，打碎了翠花吃什么？"

于是翠花的饭碗又成了焦点，一个非要摔了听响，一个护着不让，于是站在沙发上的翠花瞪圆了眼睛看着它饭碗的命运。结局不错，平局，摔

053

了，没碎，好大一个缺口。

小人物的命运就是这样，常常是鬼使神差的损失。但翠花聪明，没有抗议。于是各自归位吃饭。老妈的筷子没敢怎么着我，别了三次老爸的。老爸呵呵笑笑，隐于无形。

这让咱怎么说呢，有眼不见管不着的感觉，每个系统都有它特有的维系和化解的渠道，人类的生命那么有韧性，足以做到这一点。平心而论，老妈很独裁，像什么似的，酱里油里都少不了她，还特要面子，控制一家人细致到脚趾头的生活是她孜孜以求津津乐道的目标，还常向邻居们炫耀。哪里有压迫哪里就有反抗，咱是典型的激进派，年年与她对着干的结果便是她期待着你的合作，不找她的麻烦便觉得你近来表现真不错。而老爸是逆来顺受的典型，从来都是招架，于是从家庭挣钱工逐渐过渡到搬运工、清洁工、体力劳动者、跑腿的、听差的、家庭煮夫等等，现在又要过渡到受气包包了。想退缩，想委曲求全，只要还有弹性空间，压力就不会停止，直到你反弹为止。估计老爸永远也没有那一天。想知道人的韧性和适应生存的能力吗？看看猴子和猩猩，就知道人类为环境所付出的巨大牺牲。

八点多钟，正躲在卧室里看黄色光盘，老爸敲了敲门进来。咱没听见，马上惊慌失措地关掉碟。

老爸有些尴尬，"好像听见你说'进来'了。"

"没什么，是DVD里有人说进来。什么事？"

"你妈让我问问你，那个医生给你打电话了么？"

一怔，给忘了，接了几个电话，只要不是客户和熟人的，往往又有其他电话在响的时候，都麻利地推了挂了，不知道里面有没有那个医生。

"老妈叫你来的？"

"你妈关心你。"

让个地方让家里的老爷子坐下来。"婚姻好么？凭良心说。"

"还行，有利就有弊嘛。"

"鱼儿在水里太久了，上不了岸，就会说水好。"

"对，欲说还休，欲说还休，还是得说水好。但水至清无鱼。"

"但我很失望，看到你和老妈一过几十年忙忙叨叨又没什么趣味的日子我就害怕，琐琐碎碎大半辈子，有点受不了，觉得日子可以不这么过，换个样子也是可以的嘛。说真话，在家里这么做牛做马没有后悔过？"

老爸宽容地笑笑，慈祥极了，让人想起经河水长久冲积磨洗过的鹅卵石。"后悔？我不从这个角度回忆和看待生活。我觉得我这辈子还不错，重新活过也就这样吧。你妈呢，综合评价还是相当出色的。现在又不打仗了，也没有特别考验体力的工作，为家里干干活，服务服务，挺好的事。正像你所说，男人无论个头、体格、质量都强过女人，也就有足够的承载和承受能力。你要相信一物降一物的特殊魔力。"

哦，真叫人刮目相看呢。

"老爸，你是最棒的，咱家里有你，是咱全家烧了高香。可并不是所有男人都像你这样……全心全意为家人服务，可能我也不能。"

老爸慈爱地拍拍俺的肩，"你只是玩心太重。"

"我怕他们不能理解我，怕他们太脆弱，更担心他们会是逃兵，半道扔下我全都跑开，就剩下我一个在贼船上，所以我索性不上贼船。"

"相信大多数男人的心胸和承受力，不像你想象的那么单薄无力，像相信你自己那样。"

"你愿意我嫁给那个医生？"

"先看看人怎么样。"

"好人多了去了，对吧？"

"总有适合的吧？"

"看着我在家里变老，你也难受坏了吧？"

老爸笑，"没有。看到你活得不错，如鱼得水，我挺欣慰呢。就是有点担心，担心周围的压力，让你在无所适从中……"

"在无所适中变形，对吧？"然后重重啃了一下老爸的左腮帮子，

"老爸万万岁！别担心，如果变的话也是爬行动物向哺乳过渡，而不是向低级屈就！真佩服和感激你这样无怨无悔地陪老妈一辈子，老妈真是烧了高香！"

"别这么大声，你妈听到了肯定要给我小鞋穿。"

"呵呵，放心吧，你肯定有办法穿得下。"

若在小时候，老爸一定会拍咱两下，以示不喜欢这种玩笑。但现在拍都不拍了，而是宽容谦和地笑笑。让咱有些不爽，俺家男性的威仪和尊严哪里去了嘛，生存空间也被压缩得异常可怜。不光俺家，俺整个小区里都是看得见的阴盛阳衰，露头露脸活蹦乱跳的全是女人，势力范围从0～80岁。按说女人都是守势基因的携带者，其体质和生理结构也决定了在基础性与较小冒险较少伤害性工作中比较有优势，而女人在此基座性领域中做的也足够优秀，从现在全球60亿总人口和比较低的婴儿死亡率中就可以证明。所以，拥有xy与富有变化染色体的男人可以放心于后院的安稳，放手一搏去开拓更大的生存空间，不去开拓就不要拥有那么多体格优势嘛。从这个意义上来说老爸，一个社区的大部分男人，全中国98.5%的男人都在干着一件不怎么光彩的事儿，沉淀下来与女人们争夺最基础性的工作与存在空间，并且不惜把自己的XY向XX方向弱化。

呵呵，看到中国总体特征了吧，从俺家里便可管中窥豹，不可怜他们，就像俺不可怜老爸一样，有多少科研，创新，冒险，大海，高山，太空，飞机，汽车，轮船，思想，辩论，学术，自由，权力，财富，幸福，荣誉，尊严等等要去探索和拥有，偏偏在家里与女人争夺涮盘子洗碗的权力和义务。唉，那好吧，你们都下来吧，让女人上去，也得把权力宝座让出来，没有权力我们能干啥呀？没有则罢，一旦拥有便会把权力大卸八块，开膛剖肚，切割成小零小碎堆放在不显眼的小角落，然后放开所有的天空，让蕴藏在13亿人口中真正的智者、精英、天才、怪才或蛀虫、庸才、蠢货和普通平民各自归位，让男人干他们该从事的工作，说他们该说的，想他们能想的。说个实在话吧，大家也就是智力平庸的普通小人物，没事咱们就不要装什么三孙子了！

14

为了照顾老妈情绪，那个医生一打来电话自报家门某某医院时，俺立刻讨好人家。"有、有、有时间啊，你、你、你说吧，什、什、什么地方都行啊！"

那边愣了一下，"我、我、我也有时间啊，你说、说、说吧，什么地方都、都行啊、啊！"

哇哇，这人不是结巴吧？咋激动成这样啊，立马想起那个笑话来：你叫什么名字？柳柳柳柳柳德米拉·普京。你是结巴吗？怎么这么'柳柳'？俺不是结巴，俺爸是，但那个户口登记薄的人更是个白痴。

"去你医院对面那个麦麦麦当劳吧。"

"麦当当当劳啊？"

"你是结巴吧？怎么这么多当当？"

"我不是结巴，你结巴，我也结巴了。"

哈哈哈，谁说医生都无趣呢，当天下午就集中精神三个小时内把五个小时的活干完了。时间像牙膏，只要用力挤，多少还是有的。如果说下午干完工作能去故宫免费拿一件纪念品，咱还能超级效率地一小时内完成，第一个跑进去把龙椅搬回家来坐。

雷伊站在走廊里说："晚上我请你或你请我到酒吧里喝一杯？"

"为了什么？"

"销售成绩不错，到目前为止，增长了233%。"

"放两天假吧，或多发点奖金或多发几瓶波尔卡，要么你回法国探亲吧。"

"如果让人紧张的话，你和我共同离开他们会更放松。"

"放心吧，我比他们更会玩，你前脚走，我们后脚关起门来跳脱衣

舞。"

雷伊追到电梯门口，"谁脱？"

"从我开始，每个人。"

上司惊异的眼神从眼前消失。雷伊是个从众的人，如果说带上他跳，无论真假，他都会高兴的。无论形而上还是形而下，孤单的人是寂寞的，也是怕被人遗忘的，但愿他快点丢掉法国人的尊贵和矜持，做一个随波逐流忘乎所以的法式中国人。

到那家窗明几净、小孩声音吵翻天的麦当劳门口，咱就知道自己挑选的约会地点实在是英明，在这种众生平等的草根式阶层的破地方看你怎么再端臭架子！看你穿戴整齐考究的衣服怎么再扮酷扮帅。呵呵，其实约会挺折磨人的，谁越在意越折磨谁。万一医生穿着牛仔裤运动装大大咧咧傻笑兮兮地跑进来，傻眼的该是咱自己了。

"嗨，我叫周家正。"来人穿一件条纹毛衣，皮衣已挂在椅背上了。脸圆乎乎的，多肉，白净净，让人想起了天津狗不理包子。因此多瞧了他两眼腹部，鼓鼓的，与他职业相配套的赘肉。哎，浪费啊。更让人忧虑的是他圆圆润润的屁股，不大不小的包裹，倒符合俺的男性性感指数的标准，但也不能因为一个好看的屁股就跟他上床啊！不过要长在李林身上就好了。忽然觉得奇怪，以老妈那过时的有待商榷的眼光看中了他什么呀？思来想去恐怕只有"医生"这个稳定旱涝保收的职业吸引了她的眼球。想当年她就是为了生存而嫁人的，现在也打算以生存的角度把闺女推出去。

"怎么了？"小胖墩也下意识地往下看自己的屁股。如果是女人肯定要紧张地在屁股上摸一下，再想想上次月经访问的具体日期，或诅咒或气愤或松口气什么的。

"没怎么，瞎看看。"

"喝点什么，咖啡还是可乐？"他显得局促不安。医生什么血腥场面没见过啊，至于这么紧张吗？他又看了两眼咱的脸。又一眼。

我立马有了错觉，马上掏出小镜子来照照，没发现局部不洁或突如其来的小痘痘什么的。

"要可乐。"又关照了一句，"可乐有杀精作用，不用随我，愿喝咖啡要咖啡好了。"有些腼腆的男人不关照他就会做违心的事。

周家正脸红了一下，回来时端来一杯可乐、一杯咖啡。为了不让他紧张，给足5分钟做深呼吸。这5分钟里分别给老妈和于小娜的表妹打了电话：告诉老妈晚上回家吃饭，要喝粥要吃辣椒要吃正宗的韩国泡菜，自家腌的不吃。告诉于小娜的表妹——又一个怀孕的女人——她让捎的法国音乐，人家法国脱销了。其实咱忘了。

"我家宝贝当不成音乐家了，罪过可大了！"

"你老妈怀孕时天天听，你不是也没成音乐家吗，真是！"

"胡说八道！我妈什么时候听了啊？她那年代有的听吗？"

"你真是无药可救！你家肥猫天天和你妈一起听京剧，至今一句也不会唱，你家宝贝将来也肯定是这样。你不如顺其自然该干吗干吗去，万一——不留神生个天才，你还收获个惊喜！现在哪是哪呀，我都替你累！挂了，别打扰我约会，和一个妇科大夫。"

059

里面立即尖叫："妇科大夫啊？！让他给我提提中肯的意见啊！"

"大夫说了，你这号的少说话多吃叶绿素，少干坏事多替朋友付账单，还要离小娜那坏分子远一点！"

然后挂了，再看看周家正，脸色果然平静多了。兴许不喜欢咱打扰呢。

"哎，你们医院收益好么？"

他立马点头，"还行。"

"一月发多少啊？"

他吭吭哧哧半天，"刚开始干，四五千吧，还有奖金。"

"恕我直言，包括红包么？"

他脸一下子涨得厉害，隐忍之后，没有发作，"我没那恶习。"

"别人都有那恶习，干吗你没有啊？这种事，没有也得培养。众人皆醉你独醒，敢和别人不一样，不想在圈里混了啊？"

他圆圆的脸又变色了，估计搞不清俺的意思了。这就是搞技术的容易脱节，往往搞不清楚社会的流行色。

"你们院长主任什么的，光红包，就没少收吧？"

他还是瞪着俩眼不说话。

"现在干点事是挺累人的，不光你们大夫，连官僚会计教师美容师和卖彩票的都想破了头，更不用说我这等臭销售员了，哪个不是在为车子房子票子老子孩子位子而奋斗得出师未捷身先死？不是，是鞠躬尽瘁，死而后已呀！官僚在为饭局多得高血压脑血栓，教师整天为掏空孩子家长的腰包想白了头，美容师不得已在会客厅的帘子后面支起了双人床，会计如何作恶使坏就不用咱说了，就说俺这干销售的吧，为了挣钱，得先抛砖引玉几万，十几万，几十万，天长地久，也算不上什么秘密了嘛。大家都这么灰头土脸的无耻着，你们医院也用不着脸红装清高啊。看看你家院长主任什么的，个个白白净净肥头大耳……"

"你认识我们院长主任？"

"呵呵，还用认识啊，几只耗子排队进来，我就能认出哪只在掌管谷仓，哪只在下水道里捞东西吃，哪只好歹混进了厨房，奔小康了。"

大夫像秀才遇见了兵，只剩下抓耳朵了。"这种事，什么时候都有，不说也罢……吧？"

"说，干吗不说？如果体制的漏洞20年后堵严，这20年你不是吃亏又白辛苦了吗？人家十几亿、几十亿地倒腾，你拿几个红包算什么呀？你不想去非洲……"

他机敏地抬起头，"去非洲干什么？"

"旅游啊。非洲原汁原味的野生动物多，不像北京动物园，老虎都成猫了。"

大夫又作思考状，"明目张胆地收，一是纪律说不通，也违反职业道德。"

"好，为共和国的正义根基鼓掌！你今天来干什么？"

他一脸惊讶，"与你……约会啊。"

"我怎么样？"

"嗯，挺看得开。"又加一句，"头脑清楚。"

"还有。"

"不知深浅，不知你能吃几碗干饭。"又对这句话欣赏似的，腼腆而得意地笑了一下。

"猜猜，我能吃几碗干饭？"

他又笑了两下，伸出两个指头，"够了吧？"

"多了，一碗就够了。但对菜的要求质量挺高。"

"多高？"

"比如看到你这碗干饭我就想到非洲某块水草肥美的地方弄块地，粮食水果葡萄土豆什么的都种，五十英亩不算大吧？你要到非洲援助去我去那里置地，若机会可以，搞搞房产开发也是不错的。"

如果用一个词来形容医生的脸，只一词合适：目瞪口呆。

"在中国当医生和在非洲当是一样的，非洲妇女比较健壮，可能生育相对容易，你还不容易紧张和减少职业风险呢！"

他抓了耳朵抓头皮，"你把去非洲当作……和我在一起的必需条件了么？"

"是啊，若不然干吗哭着闹着跟你啊？妇科大夫了不起啊？你本身不也很平常么？既然职业是个亮点，就多推敲推敲这个呗。"

医生喉结在动，嘴巴也绷紧了，就差掀翻桌子说俺无耻了。他妈的他敢掀桌子俺就把可乐泼到他胖圆脸蛋子上，人各有志，谈不拢归谈不拢嘛，本来也没想与他谈拢。想站在道德制高点上，啊呸！人家靠当海盗和抢杀奸掠起家的欧洲北美和日本人现在不也一本正经得像个人权卫士和警察了嘛！

但不得不说这个人脾气极好，温吞水似的愣没发作。该轮到咱作自我

061

批评了，当说别人时最好自身也把姿态降到最低，搞一下平衡。平时骂别人唱高调装孙子，该装时自己也得装。

"当然比起你来，我可能差得不止三两个层次。你本科念了七八年，我只四年，还净逃课打游击，火候差到老鼻子里去了。长相还普通，扔到人群里立即捞不出来。要不，也不会现在嫁不出去，让你等刚出炉的生瓜蛋子大学生来回挑。其实咱也是有自尊心的，一点也不比你的小。反正老姐就这副德行了，你打59就觉得是高分……"还让继续说下去啊?俺都快哭了。

妇科医生马上诚惶诚恐加手足无措起来，"没觉得你老啊，一点也不老！也算好看啊，性格坦率……91分，行不?"

"干吗不98分?"贪心不足，有点气恼他，不会给别人虚荣心机会啊? 欠扁的！

"100分吧。"他大派送似的。

"100分?！这么没诚意没技巧啊，有一百分的女人么? 不要注水这么满吧? 我给你打80分就显得礼貌而诚实，70分小看你了，90又有溜须拍马之嫌。记住，以后评价女士，98分ok，闭着眼都要这么说。"

大夫有些傻，又有所悟，继而不解，"我是诚心诚意给你91分，比格式化的98分实在多了。"

"想听格式化以外的么? 你也就59！"

"为什么我不及格?"他一脸：气愤? 激动? 遗憾? 不屑? 都有点。

"及格能当我男朋友了，你还嫌低啊? 中国大多数男人都在50分以下的，要不是你是妇科大夫令人眼前一亮，也就40多分。问问你，给孕妇接生你兴奋么?"

"开始还行，慢慢就习惯了。"他还算诚实。

"又是血又是婴儿的，厌倦么?"

"职业啊。还没厌倦。"

"还对女人感兴趣么?"

"姐姐，求你了，别这样审问了，我和其他男人一样正常啊，就想找个爱我的老婆！"

15

咱一直掰着手指算，还让手机铃声提醒着，一本正经的比过自己的生日还当心。别看平时挺爱惹老妈生气的，关键时刻绝不含糊。几兆亿精子中只有一个艳遇到卵子的机会，让咱时来运转到地球上呆上五六七八十来年，得像感恩上帝那样感谢老妈。电光石火中，一个生命就是一个机遇，一个传奇，一个八卦传说啊！

头一天就偷偷跑到一家北京最有名的蛋糕店对蛋糕师耳语："刻上：祝上世纪五十年代的那只兔子活到一万岁！老爸是千年神龟，你们一定要比着活啊！请多补维生素从A到Z、不饱和脂肪酸、叶绿素、铁、锌、氧离子……"

"哎呀，这么多字怎么刻上啊？"面包师傅好愚蠢啊。

"人家头发上都能刻《三国演义》，这么个巨型蛋糕刻不开这几个字啊？字小点也不会？开动脑筋使劲想办法啊！"真是的，现在洗衣机都开始洗土豆烧开水和熬汤了呢。人果然都是笨死的。

咱就不满地看着他的脸逼着他想办法出主意。人家山顶洞人都能离开山洞到平地上盖大楼修天安门广场，一块蛋糕也搞不定，干脆回山洞里重新来过吧。

几秒钟的尴尬后，面包师终于妥协："好的，上面写不开就在周围写，用箭头标上就不会反着念了。"

"怎么写那是你的事，一定得要顺利地念下来。"

于是咱心情愉快有点趾高气扬地离开了。在办公室做了3个标书，接了11个电话，打了29个，去了一趟建筑设计公司、一趟建筑工程公司、一家房地产工程部后，已是第二天下班时间了。咱跑到卫生间看个究竟，妈

妈的，每月都光临的老朋友又按时造访了，也不管别人乐不乐意，雷打不动地一住就是四五天，讨厌死了！不仅烦，还满身不舒服，心情之恶劣，一点小茬就想与人大吵一架。然后心情郁闷地冒堵一小时车的风险，去买了一束红色康乃馨。本来想买一束高风亮节的竹子和含苞待放的白玫瑰的，但约定俗成太深了，怕老妈不高兴，怕老爸误会，只得用康乃馨这种朴素土气得不成样子的朵朵凑数。

如果老妈高兴地吻咱一下，咱一定左右开弓吻她两下。如果老妈欣慰地拥抱咱一下，咱一定会狠狠地拥抱她三五下，把老爸羡慕哭。车子堵在大街上不能动弹时咱就这么洋洋得意地想。要不是其他的车排得像栅栏似的过不去，可能会冲到路边的婚纱店"巴黎的春天"里再租件婚纱回去，五六十岁了，风光不了几年了，再过几年，腰就更粗了。

回到家时，个把星星都出来了。爬上楼，敲开门，心情很激动，又有点害羞，把花束藏在身后又故意露出几枝。老妈很保守，不善于表达情感，不要激动哭哦。

当时老妈正在沙发上坐着，什么也没做，正支着耳朵等咱似的。老爸正在厨房里忙活，大蛋糕摆在了桌子上，两层的，一米多高，显得那么诚心诚意和富丽堂皇。

刚进门，就听见不解风情又不知趣的老妈心疼地叫："又买花了啊？这里里外外得花多少钱啊！一束花不中吃不中喝，要是二斤五花肉咱家能吃两三天……"

我只觉脑袋轰了一下，转过身蹭蹭下楼了，把花束用力地扔进垃圾桶里，跑进附近的超市，对着卖肉的师傅恶狠狠地说："二斤五花肉，不多也不要少！"

师傅的刀法奇准，割了一块，那种松懈的红白相间，扔到电子秤上，然后装进透明的塑料袋里递过来。咱又拎着到门口的礼物包装柜台那里，用鲜红的绶带系上，还恶作剧地挂上了一只毛茸茸的长耳兔，小小的那种，顺手还扯了一张过年用的那种傻笑的阿福姑娘贴上，然后雄赳赳气昂昂回家了。

开门就扔到老爸老妈面前的桌子上，动静很大地脱外套。老爸气定神闲地拎起来看了看，笑得一脸阳光灿烂。"在咱家，最有办法对付你的就是闺女了，光朝我厉害没用。不错，二斤上好五花肉祝寿也了不得啊。搁在二十年前，谁吃得起啊？嘿嘿嘿。"

老妈冷了一会儿脸，也不示弱，拎起五花肉把阿福揭下贴在冰箱上，绶带与围裙接在一起系在腰上，长耳兔装进围裙的口袋，提着肉进厨房咣咣剁了起来。

老爸判断了下形势，低声说："到此为止，不要再激怒她了。你妈气量小，随她说什么，你不要再接了，她老人家的生日嘛！"

一会儿老妈出来了，宣布："肉我炖上了，红烧！生气？我这把年纪的人了可不能让她气着，相反，养了这么个可恶的丫头我还自豪呢！世上有谁家闺女敢这样对她妈的！？"

我和老爸面面相觑，拿不准下股风往哪吹。老妈手持切菜刀，很搞笑地对准大蛋糕像切五花肉的刀法，精准地切下，结果粘粘糊糊塌陷得不成样子。

"杀鸡何用宰牛刀？不过用牛刀宰的鸡也一样好吃。"老爸乐呵呵地拿起一块来捧场。"咱只活千年，就是要沾沾万年的光！"

"我也要尝尝高射炮打下来的蚊子……虽有点变形，味道还行。老爸，下次你过生日时，得准备一只斧子，劈。"

老爸笑："记住了，不要再写'千年神龟'这种昏话，说说笑话还可以，别人会笑我们的。有些俗话成语不会用，可以打电话回家咨询我嘛！"

"那千年什么？千年神龙？千年神仙？千年玉皇大帝？"

"千年的王八万年的龟！"老妈终于打进去一只楔子，很得意呢。

唉，总算说话了，别看一直很正常地吃饭，但窝在心里气咻咻的谁都看得见，不撒出来始终是个麻烦。瞧见了，刚才水果刀都忘了使。唉，真感激老爸的宽容和沉淀，那把火也只有在他身上分解消融。其实家庭是人际摩擦和爆发冲突最频繁的地方，总是有最仁厚包容的心胸把各种凌乱和硝烟消于无形，今天老爸万岁，他是老好人，昨天老妈万万岁，她做过老好人了，咱也万万岁，因为在办公室做过老好人了，也准备明天在家里做。

家里全是好人，想不学好都难。

16

该去上海了。一直不愿去，一是不想培养成李林说什么就是什么的不良习惯；二是不愿乘飞机。哪敢坐呀，平时要是汽车能到的，决不坐飞机。中国人多，从天上掉下来三五架飞机摔死个三五百人和煤矿里埋掉几百名大活人是越来越有规律了，咱就自认为命比一般人值银子，可不想这样被一般糙人随便浪费掉。

但谁叫飞机快呢！在高空，捏了半天的汗。

飞机起飞时还阳光灿烂，白云不要钱似的到处堆积，一靠近上海便愁云惨雾的，太阳早没了踪影。飞机降下来，果然是阴天，雨欲下不下的样子。

李林开了辆破普桑，先来个大大拥抱，眉开眼笑。"怎么还是排骨啊？尽信书不如无书，不要看单子下菜了，净是骗人的。"

"胡说八道！净增三两了呢。"

"现在净重多少？"

"52kg。你呢，毛重？"

"77kg。"

"你50kg就够了老兄，也没为中国GDP增长做多少贡献，那多出来的25 kg纯粹就是浪费。"

车子从虹桥机场出来，缓慢爬行了一小会儿，上了高架桥。虽不是第一次来上海，我得说有些失望，上海离它所标榜的那种鲜明制高点和崇尚的都市主义差得太不靠谱了。正想着，李林打断了我的思绪。

"亲爱的，是不是美国同志说：'月球，我们来了！'"

正准备回答，突然觉得不对，凑上前一闻，淡淡的古龙牌香气。"洒了多少香水？"

"一点点。"李林意犹未尽，"上海男人喜欢用香水。"

"不用解释，又没说香水是女人的专利。只是不明白，人家西方男人西装革履洒香水，一是人家体臭多，二是人家在享受几百年来的劳动成果。中国男人一没体臭，二没发明蒸汽机汽车火车又没当过海盗，没到处挖金矿在全世界拓荒累积财富，凭什么也洒这么贵的香水啊？从这一点说还远不如摆地摊的小贩有自知之明呢。切！都什么人呐！"

李林吹口哨，"亲爱的，你怎么不知道入乡随俗呢？算了吧，别声讨我了，过来咱们不是发牢骚的，是相亲相爱的。带你去一个酒吧喝上一杯现在上海最流行的咖啡。"

李林这厮最大的好处便是从不较真，也从不当真，在随大流和真理之间，选择随大流，而不理会咱言之凿凿的"真理"。有时恨不得去掐死他。

忘了那家酒吧的名字，反正在某个繁华路段。进去时五六个漂亮妞整体地喊"欢迎光临"，鞠躬到89°15′，哗众取宠让咱有点不高兴，日本人鞠躬弯腰那是人家的习惯，在中国不知为什么就觉得受不了，清宫辫子戏看多了的缘故吧，见不得人肢体动作过度萎靡，视觉上不正常，让心理无端痉挛，依稀看到跪着的灵魂还没复原。

李林优雅地要了杯卡布其诺，也建议我尝尝。我只想要绿茶、冰水或凉白开，并且固执己见，而且要翻脸了。不远处有一个穿戴光鲜染了黄稀屎头发的男人故作高深地看过来，可能是在琢磨乡下人的差距吧。去卫生间时故意经过他，又是淡淡的香水味，让人想起了德国马克那斯，都是能力不如品味高的家伙。

067

其实喝冰水喝凉白开才算真正有修养有品味的，想想雪山地下水循环和南极洲的冰川，远比你探头探脑窥探羡慕富农巴黎和暴发户东京更有环保和优越精神。

当咱无遮无拦地露齿大笑时，周围那些假贵族伪清高更加频繁地朝这边看，连好脾气的李林同志也担起心来。妈妈的，都装什么三孙子啊！不是灵长目没见过最高级物种发出愉快的声音啊？呵呵，俺是平民，俺是下里巴人，你们优雅，你们有见识，你们是精英，你们是上流社会，你们不是爹妈生的，但咱还是得笑！无耻的富人闲人无聊人的圈子，还没等到暴富就积极地打造自己傲慢优雅而无用的阶层，让咱百分之一百一十五不舒服加酸倒大牙。

不知为什么，从哪里生出这种不招人待见的臭毛病？别人越想拔高，越想表示自己区别于一般人的品味和眼界，咱越想凑上去把那层清高洋派的皮层掀得稀里哗啦的，就见不得一般人装孙子。

从酒吧回来就去李林的公寓做爱了。老规矩，先按摩20分钟。

"给我也按摩一会儿好不好？十分钟，八分钟就行。"

"五分钟。"

李林也高兴地答应了。

做完后咱去冰箱里掏冰淇淋舀着吃，觉得西方食谱中这一道算得上老少皆宜，可推广全球。

"给我按摩，你不是说五分钟的吗？"

君子一言，驷马难追。咱边吃边爬到床上，在李林还算匀称还算有看头的中年男人的身体上又抓又挠又搔又掐又摸又捶又抠又挤又压又拧又捏又提，可真真是蓝领工人的体力活！仅三分钟就受不了了，坐在他光光的屁股上歇歇，捧着冰淇淋一勺一勺挖着吃，某一勺端偏了，滴落在他大腿内侧的痒痒肉上。下面的人反应巨大，暴叫了一声把咱掀落到床上，抬头看，"你要谋害亲夫啊！"

"不是故意的。"顺手抓了他领带擦擦，扔在了床下。

"是不是第一个登上月球的阿姆斯特朗说：'我迈出一小步，是人类迈出的一大步'啊？"

哎，还想着呢。

"还用想吗？人类登上月球第一句说的是英语。你登上去不说汉语了嘛。"

17

侍候舒服了，第二天一大早爬起来进厨房做饭吃。一直觉得做饭这种基本功像擦皮鞋、嚼口香糖、开电脑和分类垃圾一样可大可小，人人必须能做会做可做可不做的事儿。有人死活不愿做，就像有人死活不爱嚼口香糖一样，我恰巧是死活不爱擦皮鞋，没有擦鞋机便随时拿块抹布搞搞，常惹得老妈高声叫骂：哪个缺心眼的把我的抹桌子布弄这么脏？不想吃饭了？！

幸亏老爸不嫌事小，常常悄无声息地帮着擦得能当镜子使了悄悄放在一边，也幸亏李林和其他个把男生都在乎脚板的仪容，擦他们自己的时候也顺手把同伴的解决了。

今天想起来做饭，就像想起来擦皮鞋一样，动静巨大，恨不得把冰箱里能煮的全煮了，是鞋子全擦了。可能是突如其来的逆反心理大爆发吧。

把整只鸡放在菜板上，叽叽叽三刀下去，鸡头、左鸡脚和右鸡脚统统与大陆分离，装进垃圾袋里了。然后把大陆大卸七八九块，放进高压锅，糖醋、油盐、花椒大料、米酒、红酒、可乐各一勺，自来水若干，然后点火猛煮。这一招是看了老妈老爸做了二十几年的饭耳濡目染领悟来的，因此不用拖泥带水作思考状。

下一条鱼可得费点脑筋了，脑袋太大，可能是条聪明的鱼吧，像爱因斯坦那号的。不过聪明也让人逮住下锅啊？太大脑不如无脑，一刀下去，你得说那刀太锋利无边了，屠龙刀似的，鱼头分家了。刀虽快，刀法不

069

准，连头带肉削去了58%，还只是视觉上的，估计放在秤上还剩下三分之一强。头没了，尾巴也不能留，小剁一下，整个鱼身便光溜溜的了，放在另一锅里，加少许水，佐料一点也没少，不猛煮了，改用慢火炖。

一切都差不多了，又悄悄回到床上睡个回笼觉。

劳动成果也太明显了吧，一会儿扑鼻的香气就稀里哗啦占满了屋子，都让人不好意思了，不必这么夸张嘛，收敛一点才能恰如其分地表达咱谨慎高兴的心情。

李林蜂蜇了似的跳下床，衣服都来不及穿，失火似的往厨房里跑。大衣镜里映着他光光的脊背在升腾的水蒸气中沐浴，正用筷子和勺子捞着什么。一会儿水蒸气突然减少，他一脸愕然出现在卧室门口。

"鸡头鸡爪呢？"

"那些零件都扔了。还有鱼头！"

哇，他又跑回去看鱼。一片乒乒咣咣后，他在厨房里叫骂："三斤重的胖头鱼还剩下不如一个鸡腿大，你搞什么搞啊！你不是不会做饭不乐意做饭的吗？走什么穴啊！？"

说不生气就不生气，把老天爷喊下来也不生气。当下悄然快速地穿上衣服，提上昨晚替咱擦好的皮鞋，悄悄溜出门，在楼梯里蹬上鞋子后呼吸着上海早晨的空气找早餐吃去了。

在一个还算干净的小店里吃了三个茶鸡蛋和半碗豆浆，觉得上海话好亲切，满耳朵鸟语花香，一句也听不懂。然后不管东南西北地轧马路逛大街。

又看到一个上海的特点：人与人之间不热情，都快头碰头了，扔下一句对不起，然后各自淡漠地走开。好，这就是世态炎凉、各自品尝原始生态的特点，没人理你，没人撇你，也没人讨厌你和挤兑你，比一般城市那种里外分明、内讧和欺生有立世精神。走的没意思了，竟没看到一个打架吵架的。叫了辆车，再去明珠塔杀杀时间。喜欢上海的一个理由：它的华丽和高度。明珠塔够花哨，金茂大厦还不够高。怎么说硬件上也可以了，也希望精神上不要有渔民或临摹富民的心态，钓了只大鱼就觉得腿长腰粗忘乎所以，见了巴黎东京纽约的个把夕阳贵族或乖张粗劣的暴发户也要学着翘兰花指言必称红酒口必称头牌的二等半人的架势。多好的例子在身边啊，滚滚长江东逝水，这么一庞大水系在源头一直坚持着的不拒涓涓细流的包容精神，到中途泥沙俱下，仍不畏险途，滋润百川，百川归海，将那种生生不息的普世精神镌刻在上海滩头。

一会儿，李林打电话来，"亲爱的，在哪？跑哪里去了？饭做得一塌糊涂又没怪你。"

"胡说，我没功劳还有苦劳呢！做次饭容易吗我？"

"我又做好了，很可口。赏脸不？"

哇哇，上海真是盛产新好男人的摇篮。本来李林就是个好小伙，现在更符合九千认证标准了。

咱几乎是连滚带爬跑回家，正看到新好男人给苹果削皮时不小心伤了手指，便很殷勤地上前将那根手指像举一面小红旗似的举起来，安慰他："现在男人不用跋山涉水打猎养活家人了，但光荣的皮外伤还得像勋章一样保存下来！以此证明你很杰出，也很优秀！"

受伤的男人需要赞美。

18

唐大志于小娜两口子又在吵架。咱早就说过，有些人的坏毛病就像头皮屑似的，洗掉还生，洗掉还生。没法子改变，只得习惯。忘了那天去她家里干什么了，还没进门，污言秽语就从没关严的门缝里冒出来了，洪水猛兽似的污染着良善之人的耳朵和胃口，怪不得要搬进独门独院的别墅里来，怕丢死人。

"……你那就是榆木脑袋疙瘩，死没记性！一个扁平胸飞机场，根本没咪咪的假女人也削尖了脑袋钻进去看，你的品味之差简直和一只狗也差

071

不离了！"

声音凶巴巴恶狠狠的是于小娜贼婆娘，生完儿子，嗓门就更大了，有功似的理直气壮的劲头，不就是升为孩他妈了嘛，有种去清理门户！狐假虎威，只会欺负小唐这种假君子真骚包的笨蛋。唐骚包也真是的，捂不严实，谎还不能说得天衣无缝，没有本事还揽什么瓷器活！

果然那种理不直气不壮的声音飘了出来："儿子他妈，也怪你眼睛不准确，肯定有误差的，我哪是看她呀？你说的可全在理儿，她那么难看，不及你一个脚趾头，我没事吃撑了看她干吗呀！肯定是你眼睛角度有问题……"

"哼哼，我眼睛有问题？我的眼睛会有问题？你姥姥的真该拿个相机给你拍下来你那个大马猴似的样子快恶心死个把人了还说我的眼睛有问题！"

哦，哦，逗号也不用，很有肺活量嘛。

"哦，哦，说我像大马猴，哪有我这样胖的马猴啊？从遗传基因上说儿子可是小马猴了，你是小马猴他妈了。所以越是生气说话就越要前思思后想想，绕来绕去又绕到你那去了。别骂了，再骂还能绕到你那儿去。"

"操你大爷的！"

只听"砰"一声，让人展开无数联想，不是拿了擀面杖了吧？女人与男人吵架，只要停留在吵的层次上，赢面是比较大的，什么不说，张开大嘴光骂他就叫他受不了。要是升级为"打"——不会这么没脑子自毁长城吧？

果然小唐气急败坏地嚷："你这娘们怎这么不地道？想想我1米82的身高97公斤的体重受你欺负已够意思了，竟还不自量力地开打，不是让儿子恨我么？"

于小娜泼妇似的，咬牙切齿："你敢跟我动手？捶死你！打断你的腿你就不出去风流了！"

里面一连串鸡飞狗跳的凌乱动静。

大志恨恨地叫："你不也常在大街上看别的男人么？我大人大量从没说过你什么，你得了便宜还来劲了！"

"我看看别人怎么了？看又没睡！我要一珊那样碰见个好看的都要睡一睡，你的大脑皮层都绿茵茵的了！死人，给你留足了脸面耶！"

该咱恼羞成怒了，妈妈的，得罪谁碍着谁了？咱竟成了反面教材的标杆了，丈量着这些烈女贞妇的高度和深度，知道把自己的幸福建立在他人的痛苦之上是比奸淫掠夺还可耻的罪过吗？做人哪有这么不厚道的！于是踢开门，直直向左边看过去，头发凌乱衣衫不整的大志，于是又向右边直直看过去，终于看到气焰嚣张飞扬跋扈气势看涨的小娜贼婆娘，于是气定神闲地警告她："不说我好话是吧？舌头长歪了？本来过来帮你踹大志的，结果发现你更欠扁！"

小娜结结巴巴看过来："你，你来干吗啊？不是说好一个小时后到么？"

"不早来怎么能听到你背后说我坏话啊！越对你好你越挖我墙角。睡个把好看的男人又不是见不得天日的丑行，有本事有能耐你也去干啊！干吗把我放在你的对立面啊？像你这样做个干巴巴毫无起色探墙又不敢的疯婆娘就该表扬就该受到正面表彰呀？搞没搞错啊？告诉你，对付大志这样博爱的男人，最好的防守就是进攻！你要真像我一样，估计他也没时间逛大街看美女了，该盯着你了。你就是惹的麻烦还不够！"然后回过头，看着大志。大志挺高兴的，把矛盾转移出去了嘛，目光一接触，他又收回笑容，讪讪起来。"我说老兄，你长得不错，挺让女人想入非非的，但干吗去看没胸脯的女人啊？你觉得这样的女人有魅力啊，那你真是有毛病！以后反正是看，反正得吵架，不妨捉住真正漂亮真正性感的大看特看一番，吵架还值得！其实美女光看看也解决不了什么实质问题的，还得练练手搞搞速战速决……"

背后小娜尖叫，还把她儿子乐乐的尿片扔过来，"你这个骗子快滚吧！没有你煽阴风点明火也乱不了这么快！怪不得你嫁不出去，要是我我

073

也不要你，顶讨厌！"

　　这次咱没理她，眼光聚焦到她身后的婴儿车上，里面的小家伙睁着亮晶晶的黑眼睛正津津有味地听着，还有滋有味地吮吸着大拇指。这样言传身教也忒早了点吧，这么小也学不会骂人、打架、妥协、尖嘴猴腮地尖叫啊。呵呵，自己不三不四也就算了，别再污染第二代纯洁无瑕的心灵了，这样漂亮的宝贝要是生在美国将来有当总统的可能，生在中国只有要么当老婆的受气包，要么当贪官的两种可能。本来就够倒霉了，还是暂时找点快乐，能快乐一会就快乐一会儿吧。

　　小心翼翼地把婴儿抱起来，小家伙竟用无牙的小嘴巴啃咱的肩膀，哇哇哇，真好玩呢，要是有公司设计出这种长不大、不用拉屎撒尿吃饭的仿真玩具一定买上三五个，自己留俩，其余送人。

　　在那两口子死灰复燃的二次争吵中抱着他们的宝贝出门了，到门口碰到了出租车，坐上去，"随便走吧，一个半小时后再回来，绕不回来可不给钱！"

　　结果出租车就在四环上转圈玩。小动物对车子的微颠微颤很享受的样子，不哭也不闹，很有力量的小爪子狠狠地抓着咱大腿上的肌肉，都抓出荷尔蒙了。妈妈的，这老子要是流氓，儿子骚包也是少不了的，长大了不知祸害多少良家妇女呢。

　　"你孩子真漂亮，长大了也很聪明，瞧那眼睛啊，有神！"司机恭维道。

　　"像我吗？"

　　"嗯，像啊。"

　　"哪里像？"

　　"看鼻子和眼睛挺像的。"

　　妈妈的，随口胡说八道像流口水一样容易。你说这是恶意说谎还是善意？幸亏咱不是男人，否则栽赃陷害栽定了。转回来，刚从车里钻出来，大志两口子像可怜的狗看见骨头一样飞窜着扑上来，心肝宝贝地叫。怎么不吵了？忒快了点吧。

小娜臭婆娘马桶嘴一张劈头盖脸地骂："你抱走我家宝贝死哪里去了？让我好找，老鼠洞都找了，就差报警了！"

"真不知好歹，帮你看孩子腾出时间收拾老公不给工钱也就是了，还倒打一耙，良心大大地坏掉了！"回头招呼大志，"你儿子在四环上阅了不少美女，算是性别启蒙，去把司机师傅的钱付了。当付家教费了。"

大志不像小娜那么刻薄，如果是向着他的，基本上叫干啥干啥。这不还是很欢喜地掏票子，然后回来帮着老婆逗那个两个多月狗屁不通的小动物。

"嘿，不是吧？好这么快？怎么也得有半天的缓冲吧，这样搞连性情中人也算不上呀！"看到他们这样见好就收，什么事也没发生过一样，真叫人着急。

"你就怕天下不乱！孩他爸彻底觉悟了，咱也得见好就收吧，杀人不过头点地吧！"小娜臭丫头竟还一脸知天命的快乐。"帮着逗逗孩子，我做饭给你们吃。"

"等等，给我吃还是给他吃？包括他么？"咱还是可怜兮兮地求证。

"当然得给他吃呀，还得指望他工作挣钱养家呢。"

那边大志小人得志又猥琐地爆笑，"珊妹子，你就使劲地煽阴风点邪火吧，可俺家小娜偏偏贤惠得七仙女似的，傻了吧你！"

那不行，没结果不是白吵了么？这算啥呀？瞧刚才费的那唾沫，顶上密云水库了。追到厨房，"大志承认了？"

"承什么认？承认能气死我！死不承认我还能沾沾自喜呢。"

"什么逻辑？头发长见识短，果真没说错你！"

"他保证以后每天准时回家，迟一分钟就踹他一脚。"

"所以你就老老实实甜甜蜜蜜又给他做饭吃了？"

"哪里不对呀？以我全面胜利而告终呢！你没见刚才，可是我说什么就是什么！"

"呵呵，行，你牛！赢了战术输了战略，活该你这样的倒霉，一辈子做牛做马伺候了大的伺候小的。走了我。"

小娜真心实意地追到门口，"干吗不等着吃啊？一顿两顿又吃不穷我。"

"不能吃，怕变成弱智啊！"

19

某个小县城，就某个小县城吧，不说名字了，省得转过屁股来找咱的麻烦。被某个地头蛇盯住是很有后患的，陈水扁同学的飞机不被打下是他福大命大，俺的小命可没有那么大的造化。

是李林在建筑设计院工作的同事帮的忙，说当地政府正盖大楼，准备盖得像白宫一样，塞些钱，准好使。这不用他说，哪个项目不塞钱不花天酒地也难搞下来，不是说现在是经济社会嘛，你不用钱和酒席经他，人家哪会济你！真是的。这是规则中的潜规则。道理咱懂，于是左一个电话打过去抛媚眼，右一个电话打过去将好处许诺，还派了一个业务员打前哨活动了一下，五万块花光了（多乎？不多也），三十万的回扣许诺出去，折腾了近三个多月，还是看在中间人的份上，那边的头儿终于很大爷地说："过来吧，带合同来。顺便到俺的一亩三分地看看风光。"

基本上就等于送钱了，狗才不会去。

于是咱思来想去想给那些只会花钱的土老帽见识一下：会花钱不是本事，会花纳税人的钱更不能叫本事，你还得会享受！

辉辉小朋友不是声明喜欢咱的车嘛，也让这位未来经济学家出去见识一下，中国到底是怎么经怎么济的，光读圣贤书是没屁用的。

辉辉的兴奋叫人想到一个词：真诚。做个有钱人就是好啊！做个追逐金钱和名利场的人真是帅呆酷毙了耶！很真诚地对咱刮目相看呢。

权力阶层像牛皮癣一样悬挂在屋顶，久而久之就形成了俯视的视角和高高在上的习惯，你要有一天和他们同流合污了，自然而然地成了屋顶的一部分被人高看三截。

汽车出发了，走的高速，出了城市，背离了高楼和喧嚣的轮廓，两边除了绿油油开阔的田野，居住条件的阴暗碍起眼来，土坡上的村庄远远地，鸽子笼似的，卑微渺小，一个中号推土机过去便能夷平至地下。不知那里的人是怎么暗无天日生活的，而且还从山顶洞人一直到现在，没有汽车，没坐过飞机，甚至没见过电脑和打印机，不过，还是活着。人的生命力像冬眠的青蛙，春天一到，慢慢在小角落里找一找，就会发现它们平和羞怯和不灵光的身影。

不知多久才看到了前面的鸡舍——鸡舍比鸽子笼不知大了多少倍——混混沌沌矗立在风水优良的山脚下，阳光温和优越地照着，街上人或懒散或急匆匆地走来走去。很多人回头看咱的车，因距离远和空气中悬浮的小颗粒没看清什么表情，他们只是看，十有八九这辈子只有看的份而买不起的。

政府的新建大楼坐落在小县城的中轴线上，坐北朝南阳光充足的最好一块地皮，视野开阔，风水好，往那儿一站能明显感觉出老天爷对你的抬举和厚爱。大楼前是一块平坦的大广场，很干净，四方方，地势故意垫得比周围肮脏的街道高，因而有气势，给人的感觉和天安门广场赋予人的刺激一样，简直到了土皇帝窝。

077

高规格接待咱的是现场副总指挥，以前曾官拜某某局局长，胖乎乎满面红光，嗓门极大，一只巨灵掌伸过来，咱的手像进了热水袋。脂肪多就是火力大嘛。

此君看了看咱的脸，又重点看了看辉辉，嘿嘿嘿非比寻常地笑了几声。妈妈的，装什么大头蒜，没见过这一套啊？！这年头，穷者独善其身，富者妻妾成群，看在民主的份上，男女都一样的。

辉辉也挺了挺胸膛，不以为然，用未来经济学家的眼光评价了眼皮底下的官僚和他的大肚皮：咱马走马道，驴走驴道，哼哼，肥肉过多也形成不了太多经济价值，一个本应该在班房里待着的硕鼠，只能给中国的GDP数字造成影响而不是增加实质财富的人，凭什么还看不上我？你有能耐祸害别人强奸一方百姓，我不才，只是被一个女人强奸而已（为此还有优越感呢），顶多我只是零，你成了负数了，还心里暗笑我干吗？装什么正经人的三孙子！

官职的大小一般与下面人的顺从态度、奉迎程度还与他的排场和腰围有关系，一般脸色红润和悦、身体和衣服都很舒展的人笑眯眯或严肃正经地出现，下面人神经和情绪的枢纽就不是自己的了，成了上司的一部分。咱也不能免俗，其实还相当愿意看到别人笑自己也咧嘴，别人一严肃自己也正经，不显得傻嘛。

在办公室密谈了一下，利益交割得很明白了，于是合同签了，千把万，利润还是比较厚的。这帮人只会去吓唬百姓，但在讨价还价上差了老鼻子了，一奉承他，便很快忘乎所以，很大方地往外送银子。银子又不是他们自己一把辛苦一把血汗挣来的，还不是跟石头似的，拿走吧。

当天中午就大摆宴席，喝酒，又是鲍鱼又是烤羊羔的，吃得大伙只恨自己的肚子没有气球的收缩功能。啤酒也喝得太多了，眼睛看人都光怪陆离的，一片片油乎乎的嘴唇上下翻动，恨不得伸出筷子夹了放在火上烤着吃。

到外面，跑到大广场一角大吐特吐时，抬起头，明晃晃的阳光下照着几条破烂不堪的街道，垃圾到处都是，大人和孩子意兴阑珊灰头土脸地走来走去。离眼皮底下不远的地方，有一个皮肤粗糙的妇女在卖茶叶蛋，炉火很小，上面铝锅里正冒着热气。那妇人的婴儿正在她怀里吃奶。她看着我，我也看着她。那是一种什么样的无动于衷的眼神啊，充满了对权势者的无奈、驯服和麻木，在悲凉的名义下，除了冷漠竟看不到悲苦。

耳边好像济公在唱："……兴，百姓苦；亡，百姓苦……"

不是咱良善，而是眼睛不会骗咱。

20

那天回来抄近路时我们很快迷失了方向，在一个崎岖的山间小道上左冲右突。山是小山，没有树，没有绿影，过度开采过的露天石场像个了不起的伤疤一样敞露着，像陷阱一样令人毛骨悚然。前面出现了一个小小的村庄，在大山的阴影里像个鸟窝，每家的房子像鸟蛋那样横陈，走近了才大了起来。

车子刚过村前的小道，突然两边窜出三四个形迹可疑的身影。孟辉辉忙叫了声："劫道的！"

已有一个人窜到车前，拿了个碗口粗的大木棒，要么他一棒子下去把挡风玻璃打碎，要么直接撞死他逃之夭夭，而且是正当防卫。

看来我还是胆小，惊惶失措中停了下来，四五个人就各持原始的武器包围了过来。如果乱棒齐发，我们就像刀俎下的青蛙，在荒山野岭中做了孤魂野鬼。

孟辉辉吓得抖起来。我不能再抖了，天塌下来，没有比我更高的人了。于是窗玻璃降下两寸宽的缝隙，一脸真诚和恳切地看着面目狰狞和沾沾自喜的初级强盗，他们太可怜了，连装备都这么差。连阿富汗人都能拿着手雷端着冲锋枪呢。

"你们要多少钱？请不要狮子开大口，我没带多少现金；请别要银行卡，取款机上面一般都有监视镜头，监视镜头就是录像机，取钱时你们会露馅；也不要打车的主意，太显眼了，销赃时会被发现。请问要多少？"真心实意地打算把价值六千多块钱的项链、诺基亚手机、八成新的皮鞋、1500块的太阳镜和三千块的现金（对不起，耳朵没穿洞，所以没有耳环）都给他们。

这些人太穷了，还没到夏天就趿着露脚趾头的鞋子出来混饭吃。当然，辉辉的耐克鞋也要贡献出来，光着脚又不会死；他的手机不值钱，两个人留一个破手机凑合着就行了，杂七杂八加起来两万多块，也算城市财富转移到乡村里来了吧。不控告他们，我发誓！

结果一个怯生生的声音飘过来，"一个人三百吧，共五个人。"

咱坐着没动，也没去掏钱。妈妈的，孟辉辉的小脸又白了。

"二百五……总有吧？"另一个人凑近两寸缝隙往里看。

等他们想好了吉利数再说，免得乱了阵脚，杀不住价。等了一会儿，那几个人面面相觑。第一个开口说的人又说："你有多少？都拿出来吧大妹子，俺们又能怎么着你！"但是棍棒却没放下。

其中一直沉默的中年男子拖着哭腔说："留一千二吧，俺家小崽在医院里病好了，就缺一千二出不了院！俺也不多要，也不想吓唬你，就为俺们凑足点出院的钱吧，俺家里砸锅卖铁也凑不出一个子儿了！"

其他人瞬间沉默，也握紧了棍棒。

我小心地拿出坤包，悄悄地数了十二张，排成扇形从二寸玻璃上方塞出去。其中一个好像迟疑了一下，接住了，感恩戴德得眉开眼笑，于是很高兴地放下了棒子，夹在腋下，头也不回地匆匆走了。

立刻松了口气，这边刚要离开，一张最年轻的脸倏地笑嘻嘻地折回来，脸几乎贴到了玻璃上，"大姐再给一张行不？买包烟抽。"

于是又递给他一张红票子。像孟辉辉一般年轻的男孩子欢欢喜喜地蹦着高走了。

彻底逃过一劫，还保住了尊严，我们有说不出的高兴，加大油门扬起细细的沙尘跳跃着跑走了。孟辉辉把脑袋探出窗外去，狂呼胜利，兴奋得满脸起了皱纹。咱就试着吹口哨，歪歪唧唧的很难听，打了胜仗凯旋似的。忽然想起包里有一张假币，是从银行里取出来的，付给酒店时被拒。忙察看包里，不见了，是慌乱中给了那个去医院赎孩子的可怜父亲，还是那个欢天喜地买烟抽的青年？真不好意思，希望医院收银的看在良知的份上不要劈头盖脸地训斥那个盼子心切的父亲，他并无恶意；也希望那个买烟的年轻人不要受到白眼和嘲讽！罪过啊！话又说回来，不义之财别鼓励了他们从此在自家门口扛着大棒守株待兔。

太阳落山了，夜幕逐渐降临，烟色的暮霭在田野里徐徐游移。汽车在田间公路上奔驰，大地空旷，远处平原上和山村里灯火次第亮了起来，像山水画那样飘渺静谧。美丽良善的乡村，纯朴干涸的灵魂，像无力审视世间庞杂的眼神，带着希望和泪痕向黑暗中坠落……远方似乎响起了幽幽渺渺游离的悲歌：

广袤的大地啊，心枯力竭的心灵，不要为我打起白幡，不要让我在冬眠和枯萎中死去……不要让我苍老，不要让我受到轻贱的呵斥；不要拒绝我，不要拒绝我们，我们在这块土地上生活了几百几千年，遭受的苦难要追溯到母亲的母亲；不要排斥我们，不要让我们可怜的灵魂无所依托；即使不是理所当然，我们做梦也想自由快乐地活下去……

鳄鱼的眼泪不知不觉中滑落下来，回首再望飞快消失和遗忘在背后的乡村和乡村里的生灵，觉得自己生活得卑劣无耻。

081

21

人与人之间会因太熟稔而彼此嫌恶，会因长久的审美疲劳而百看生厌，会因空间过度拥挤而互相蹂躏，会因一点鸡毛蒜皮而大打出手，总之，我们会面目狰狞，会忘掉感恩，会伸出爪子撕破对方的脸，会因从心里痛恨对方而辱骂对方的妈妈和祖宗，甚至会掘人祖坟。当然，咱自己也不是一只好鸟，虽然总觉得对方更不像一只好鸟。

分开一段时间吧，像月亮暂时逃离地球的轨道，如果觉得火星好就绕着火星转圈就是了，比较了半天还是觉得地球厚道，就再回来。说实话，地球还真觉得缺你一个不缺！就像李林同学缺俺一样，咱也是寻啊觅啊，从火星到金星，也觉得就那么回事，不如传说的美好，倒是地球怪蓝滢滢怪温暖和煦的，一不留神又回来了。

那桌子好菜啊，花红柳绿水彩画似的，至今想起来还感念不已，抓住一个懒女人的胃，就像抓住她的灵魂一样，飘啊荡啊，还是要飞回来吃，还美其名曰：宿命。

李林就是俺的宿命，回到他那里就像回到老爸老妈那里一样温暖轻松。

"哇，良人，这不是引诱俺犯错误吗？神仙也抵抗不了如此美味佳肴啊！说你有什么要求？"

香喷喷的可乐鸡翅啊，觉得鸡失去翅膀真是值得；咸鸭蛋和松花蛋二人转，转出宝马车标来，比车标还艳丽；那凉拌小肥菠菜叶，像仲夏夜莎翁里的神仙谈情说爱的布景，绿油油的一点儿也不闷骚；呵呵呵，汤啊汤，国画似的，泼墨留白，五言律诗点缀，真是恰到好处，恨不得端到保利大厦去拍卖。

出差回来后，正碰上李林回北京出差，马上打发了孟辉辉，等风尘仆仆一屁股坐在餐桌上时窗外已是星光点点啦。

当然不舍得洗手啦，被良人捉到洗手池边，亲了两下水，又急急忙忙跑回来。洗手事小，饿死事大，先把鸡翅夹过来，然后把红红的鸭蛋黄夹出来让BMW车标素净点儿。

"宝贝想我了没？"

"想了想了想死了，不想你哪能吃上这么一桌子好菜！"空出嘴来还不忘拍马屁，"今年有没有最佳男友、最上镜厨艺和新世纪最佳男人的荣誉？哭着闹着也得给你报名，得不了第一名咱就狠狠地BS他们！"

这一顿夸奖也就博了帅哥一个面皮轻弹的微笑。"想好了怎么感谢我？"

"吃饱了脑袋才健全！放心吧，一分钱一分货，出家人不打诳语。"嘟嘟哝哝的有点语无伦次。

"真的？"

"洒家几时骗过你？"

二十分钟后就打嗝了，三十分钟后就伸懒腰了，看看李同学得意洋洋地坐在对面，好似等着洗碗，立马不爽，"去，到床上等着去！"

李林乐颠颠地跑到床上，一秒一个姿势变换着，如何让自己又舒服又看起来性感。咱走向卫生间，哼着一首八旗子弟的小曲儿冲完了澡，看到李帅哥兴致勃勃摆好了姿势，哇哇——凸凹有致耶，男色生香啊，食色性也！上半身吃饱了，该用下半身思考了，哇哇哇，像河东的吼狮跳上床——伟大的女性，指引男人向前……此处省略1000字。

上上下下都舒服了，该开例会聊天。该咱方方正正地躺着了，李林像浅水的鱼，立着身，这样能对咱一览无余。

"该谈正事了吧？该结婚了，三十好几了。"

"结婚？以什么名义？"

"……嗯……爱啊情啊，我都有点腼腆了……"

"哈，我怎么觉得是色情？"

"爱情有深度了，可不就是色情了嘛。"

"你长大了没？"

"长大了，长老大了，5555555——"

"是爱情多一点还是色情多一点？"

"三七开，需要爱情时，就是爱情色情7：3；需要色情时就是色情爱情7：3；白天晚上7：3；晚上白天也7：3。"

"做好准备了？"

"早做好了。"

"啥准备？"

"门口三包，门内统包，一次购买，终身保修；卡卡上缴；每天生活细则：照顾好老婆孩子和丈母娘，出门狩猎，按时归队，不开小差，上下班目不斜视……"

"多听话的乖宝宝啊！"用手撸着他的头发，"咦？这嘴巴怎么这么

超级能说会道甜似蜜了？"

"这几个月闲着没事，操练了三套方案，基本上你说什么，人家都能幽默，不，是对答如流！"

"哈哈，孺子可教也。我要一千万啊。"

"等你六十岁了，盛大的生日晚会上，再亲手把支票给你，现在我先替你保管着，啊，乖！"

"哈哈，高！师傅是谁啊？"

"未来丈母娘啊。"

"哇，真的？"立马看着他。同时恨得牙齿痒痒，八字还刚一撇，老妈胳膊就往外拐。

他在那边摇头晃脑，洋洋自得，"知己知彼，百战不殆。不入虎穴，蔫得虎女？要知道深入敌后收获这么大，我早干吗去了？以前不懂迂回战术，才叫没心眼。几天不见，已非吴下阿蒙，贪吃妞，对我刮目相看吧。"

立马掐了他一下，然后确认揪起了2平方厘米的小肉皮。他立马叫唤起来。翻着眼看他，"真和我妈联络上了？我妈就没看不上你？呵呵，奇怪！"

"有啊，丈母娘说了，闺女配不上姑爷。"

"真的假的？"

"回家问问未来丈母娘：一表人才的小李怎么样？"

哈哈哈哈，行！

那一刻俺如沐春风，脑袋顺风顺水想到了和他以后。都说再理性的女人碰到感情和恋爱，智商立马为零，与此相配套的，有钱的男人就用票子砸晕女人，没钱的男人就用三寸不烂之舌哄晕女人，俺好歹也是后者，恰如其分地落入俗套里。想到了点啥呢，有人看到花朵就想到了果实，有人则想到了生殖器。咱则想到了足球场，别看平素没有半点耐心完整地看完一场球赛，但不妨碍从内心推崇和喜爱荷兰与阿根廷，进攻进攻，再进攻！要么豪华地屠宰别人，要么干净利落地壮烈赴死。俺就喜欢这种嘛事都积极的进取精神，像足球流氓无论走到哪里都闹事起哄一样。与一个男人生活也是这样，关键是谁在主动，谁在被迫守势，千万别信服那些声色犬马的所谓男科学家动则在刊物或报纸上以权威的口气渗透：男人基因里就有博爱和喜新厌旧的成分等种种暗示性说词。那女人也只有被动守势了。其实先天遗传和后天培养半斤八两，所谓的"男人是天生喜新厌旧的动物，女人必须从内心变换自己"，实在是先下嘴为强，后下嘴遭殃。俺是这样对李林同学说的：

"我喜欢过很多男人，未来怎么样不好说，我不相信永远和永恒，只相信现在和过程。只要你对我足够好，根据以德报德、以怨报怨的能量守恒定律，估计我就不会原则性地出轨，到别院寻找安慰和乐趣。我知道你能做得很好，相信你。请你也相信你自己，ok?"

愣了一下，两下，三下……半信半疑的眼神，又像有点糊涂了的乖孩子僵硬地点点头，"ok，……上帝赐我足够的宽容和忍耐……"

胜利和心理优势就是这样得来的，嘿嘿，奸笑中。

22

每次回家时，没有窃喜，没有矫情，想的是如何东风压倒西风。老妈自从过了五十，修养深厚，各个层次都成精了，第一感觉便是地位被日益压缩，慢慢间已是反主为客了，日子格外郁闷和难过。忽然明白，原来父母的家是以妈妈为中心的私家地盘，曾经也是咱的，只是现在成了侵犯了她的。能成为我的只能是以后若干次偶尔，当在外面受了气夹着尾巴逃回来受庇护时，母亲如母鸡婆张开翅膀提供安全和得到应有尊重和虚荣时才给予的临时最惠国待遇。

唉，当然也可以像不远的从前一样，蛮横无理地赖吃赖喝，像傲慢官僚对待纳税人那样，一旦你洞悉了这其中的权力和喂养真实结构，便如落下来的肥皂泡一样没有底气了。

俺也是被突然之间瞥到的"真相"吓倒了，接着便是手脚冰凉和垂头丧气起来，在如此熟悉的家门，咱怎么就成了外人了？成了那种远香近臭的角色了？哦哦，一不留神啊，郁闷死了。

上楼梯时，觉得后面有人看咱，看咱的后脑门和细腰。回头望了一眼，又一眼，再一眼，止不住破口怒吼："看什么看？！哪儿有花？没见过啊！"然后从喉间挤出来，"什么破人，德行！"

那老头吭吭哧哧半天，"你……你……你不是老陈家的丫头吗？"

"哦……啊……您是……二表叔啊……你看我……哈……"

直接晕倒。

父亲的亲戚是来俺家声讨自家儿媳妇的，说完了气也出了，拿着俺家钥匙走了，走到楼下又想起来，上来还。于是让咱捎回去。

咱有两把一模一样的钥匙能打开自家门，再不怕老妈发狠把咱关在门外了。开门后还蛮自我感动的，黄天厚土，祖宗在上，树高千丈，落叶归根啊！既然是根之门，也不见外了，暴喊："老妈！老妈！人哪？"

先是翠花臭丫欢天喜地跑出来，哦，还胖了，吃啥好的了？像商场促销员似的很过分地往身上蹭，几个月没见邻居来福小帅哥了？接着是老妈塞过来一个嫩桃，很瘦的那种，语气平淡从容，"吃了没？"

"饱饱的。"

"在小周子那儿吃的？"

小周子？以为听错了耳朵，怎么会是小周子？不是一表人才的小李……小李子？难道那小子根本就没来过，只是提前诈咱？于是脑袋短了路，就愣在了那里。

"小周子，那个周医生……"

呵，还小周子，越来越有西太后的作风，真拿人家不当外人了。看一眼老妈，再看一眼，举重若轻的神情，胸有成竹御审昨晚偷吃鱼的大花猫似的。

随口撒大谎，"当然，小周子做的好吃，比老爸的好吃多了。"

哇，看把俺老妈乐的，疑似买了三年的彩票终于中了100块。老爸恰逢踱出来了，没嫌被比下去，也乐呵呵的。

"有好事就藏着掖着，从不知道告诉家里，不知道家里人为你担心，怕你好东西不当好东西，好好的一个医生给糟蹋了！"

"哈！"把咱乐的，要从沙发上跌下来。"放心，当然人家是好东西了，幸亏我还没糟蹋他……"

"我是说你不会挑人……"

把桃核丢给翠花，看着它巴巴地叼着转了一圈，丢在老爸的脚面子上。"就是不告诉你，东家西家有点鸡毛蒜皮的事，半天就传得整个小区都知道，我不是怕你拿出去四处显摆嘛，八字刚刚有一撇。"

老妈嗤之以鼻："不是没显摆过嘛！街坊邻居有点啥事说道说道，这叫分享，少走弯路。以前咱家几年响不出一个屁来，没出过喜庆事儿，光流着口水看别人了，现在能有好事儿了，为什么要掖着藏着？这些年咱家交出去的份子钱能装一汽车了！臭丫头，一脑门糨糊，不知道往家里捡好东西。"

087

嘻嘻，俺妈就这样，妇道人家嘛，别跟她一般见识，五十多岁的人了，尊重她唠叨的权力吧。咱就没听见般，一门心思地把小盆里六只又瘦又小又嫩又甜的要命的小毛桃消灭干净。末了，"二表叔又来哭诉什么啊？不知道丢人几个钱似的，跑到亲戚家投诉儿媳妇。我呸！"

老妈马上清高地叹口气，"清官难断家务事，油盐酱醋茶，锅碰碗碗碰盆，哪能说得清？也别高人似的就知道呸人家，咱将来成家了，千万要注意，老人事儿妈，有事没事就会瞎叨叨……"

把咱笑的，这人怎么只会看到别人有毛病呢？"谁要和他爹妈住一起？又没吃撑。各人家是各人的地盘，本互不相识的人搅和在一起还有个好？放心吧，我要结婚了，肯定各方面都安排利落，谁想吵架都吵不到我，想打架没问题，安排个周末到广场上去，捉对厮杀呗，真是的，哈哈。"

也就说说而已，本来就闲得慌嘛。

"真这样打算啊？好孩子都会走正道的，你就是走的晚点而已，也不是大缺点。"老妈兴致勃勃，"要多少嫁妆啊？我——咱家怎么着也得搭点东西啊。"

俺着重看了她两秒，"心疼不？"

"不心疼，不在我面前气我了，多给点也不心疼。"

"哎呀，我是说我就这样拜拜了，分开单过了，不是你家公民了，名不正言不顺地给你零花钱了，也不常来吃你家饭了，你一点也不心疼？看来烦我不是烦的一会半会儿了，快成预谋了！"

"说不心疼就不心疼，高兴还来不及呢。说吧，要什么嫁妆？"

"你能给我点啥呀？你有什么能拿出手给我的？连个祖传手镯或值点钱的古瓶都没有，还煞有介事嫁妆嫁妆的，省省吧，你看上的那一堆破烂放在我那里都碍眼。将来我要请保姆你要能不说话就算嫁妆了。"

老妈立马冲口而出："保姆得花钱啊，多贵！你有手有脚哪里用得着保姆啊？给我钱我比保姆做得还好，保姆洗碗也没我洗得干净！"

"放心吧，以后我家的碗我是不会洗的，也不稀罕你洗，别想着有事没事到我家里继续指手画脚！就让保姆，或钟点工洗！"

老妈气不过，眼睁睁地看着人民币外流似的，"你不洗，让小周洗！小周子那孩子乖，哪像你这么刺儿头！你负责做饭就行了。"

哇，把咱郁闷的。"还远得看不到的事儿，这都哪是哪呀？我们谁做饭你也管啊？别干涉我家内政，谁爱做谁做，你有什么资格让我去做饭？一家不管两家的事，你做到了没有？"咋觉得老妈愈发糊涂了呢，倒像婆婆了。

老妈也很气愤，甩着手指像模像样地数落咱，"女孩子成家了，就得想着干点活，哪能家务都让小周一个人干了？人家是男人，还是医生，挣的钱不比你丫少！咱可不能坐在人家头顶上作威作福，显得咱家教太差，都折你妈的寿！在咱自己家里赖吃赖喝，谁也没怎么着你，还不是你爹妈涵养好，愿意惯着你。咱人心都是肉长的，咱不能对人家那样，不像好人家有教养的孩子……"

咱立马高分贝地喊老爸，"亲爱的老爷子，你听见刚才老妈一通能到联合国宣读的《女性婚姻规章》了没？老妈多好的人呐，三个代表的模范，从此您不用戴围裙油盐酱醋了，老妈要亲自改革开放主持厨房了，您每天洗一下碗就ok啦！"

结果老爸端着洗好的水果出来后，特一本正经，"你妈没说错，你以后成家了，不能太懒太嚣张，叫人家笑话我们缺乏管教。"

咦，变天真快呀，一转脸老爸老妈结成轴心、统一战线了，一点缝隙没有，让咱刮目相看呢，怎么这么整齐了呢？真是可怜之人必有可恨之处，呵呵，还有那个八竿子打不着的小周子，竟然在意念间入赘做陈家的女婿好久了，吼吼。

23

床真是个避世的好地方，人一生中在床上度过的时光真是太少了，人就应该除了站着就是躺着，柔软的床铺和被子，不仅遮蔽你的身体，还能温暖你疲乏的身心和饱受挫折的情绪，在片刻的安宁下慢慢伸出舌头与纤纤手指去舔拭抚摸那些青肿和麻木的肌肤、骨骼与灵魂，好好端详一下自己：这可是地球上恐龙王朝以后的最优秀最高端最灵异的灵长目动物。

这边春秋大梦还没告一段落，那边电话打过来了，是在国外旅游乐不思蜀的王佳。

"珊，给你介绍个老头吧？这样你可以嫁得更快些。"

"为什么？"

"不嫁继承不了遗产啊！有点诱饵，你就不恨嫁了。"

抬头找手机，没来得及伸个懒腰，好生气，刚才好像梦中正和某一帅弟水与火的缠绵，还没来得及看清人家流线型身材和白白小脸蛋——到凌晨三点了吗？这人你就在地球另一端阳光下好好享受温柔富贵乡呗，非有事没事撩拨第三世界的人，真是。一边听着手机里传来的欢乐，一边晕头晕脑地嘀咕手机哪里去了？

"成事不足，败事有余！不能天亮了再说话啊？又没人当你是哑巴！"

"嘁，还生气了，小样的，为你的终身大事着想啊！想给你介绍几款有钱有形的老头……"

哦，立刻脑袋有点清醒了，眼睛也眨巴起来，"好吧，就要两种：有cai的杨振宁和有cai的默多克类型的，前者是才气的'才'，后者是财富的'财'。否则，你别耽误咱时间了，没那兴致。"

"毛病还不少，你又不是七仙女。那我先给你遴选一下，这边也是男人多女人少，有钱的大街一抓一把一把的，都是以美元计算，人民币再升值，本世纪中叶不会升到1∶1的水平吧？不过人家会首先考虑你的诚意——你要不要考虑生孩子，母以子为贵？"

"拉倒吧，这么高的成本！还不如咱自己去挣！"接着打一串呵欠，半醒半睡之间听着对方"欧文"、"比尔""安德鲁"声调的跳跃。"你就一口白菜萝卜价把我给打包处理了？你怎么比我妈还着急？吃撑了？"

"什么萝卜白菜价？有这么贵的萝卜白菜么？这些可都有点豪门的派头啊！很多灰姑娘哭着闹着想疯了要嫁入的。"

"嫁入豪门？咱的理想是缔造一个豪门！"实在有点不耐烦了，"挂了吧，不让别人睡好觉你也不会长寿的。"

里面气咻咻的，"好心做了驴肝肺，你竟不感激我为你费嘴皮子？"

感激她？咱马上坐起来，拣起桌上的圆珠笔节奏有点混乱地敲着玻璃杯：叮叮当，叮叮当，叮当当，"八十新郎十八娘，苍苍白发对红妆。鸳鸯被里成双夜，一树梨花压海棠！"

里面叹气，"也不是我想多事，实在是这边的男光棍太多，哭着闹着让我给他们介绍国内优秀的女性……"

"你也够优秀啊！"

"我都有一个马克了，还没看够呢，要嫁给一个老头——今天嫁了，明天我老爹就得飞过来砍了我！"

"你老爹真英明！"

"反正我觉得你妈妈不会反对……"

"我妈被我气糊涂了。她糊涂你也跟着糊涂？就凭你那点幼稚的审美观，介绍个男人我也得休了他！现在脑袋不好使，没功夫跟你吵架，回来告我一声，请我吃饭吧。对了，是不是我妈又找你唠叨什么了？切，真是。"然后狠狠地挂了电话，大腿一伸，被子拉过来，妈妈的，辗转反侧却怎么着也梦不着刚才那个口红齿白的小帅弟了。唉，天不佑人。

到了十点，懒洋洋地起来翻箱倒柜找不着东西吃，洗洗就到小娜家蹭饭去了。王佳、于小娜和咱，自小玩大的铁三角，转眼间也从发小闹腾到三十好几了。王佳现在在大洋对岸的棕榈树下当公主呢，唉，人人平等，哪里平等？分明人在出生时就打上了标签该过什么质量的生活，如果这辈子没有靠智慧打翻身仗的指望，下次再投胎时切记要选个好人家。先不理她，谁叫人家家底雄厚天生豪门之女呢？

臭丫小娜现在日子也是过得要多欢有多欢要多自在有多自在，属于投胎时一闭眼但婚嫁时睁大眼睛的，老公整天在外面捞大钱，捞了回来就乐颠颠地交给她保管着——做女人做到这份上，还真是做的好不如嫁的好。可惜这种成功的概率太低，远不如你自己发家致富有所成就的指数高，也就是没啥能耐和看不见前途的妞儿实在没办法了才在这方面赌一把，小娜就是在这场赌局中稀里糊涂中抽到老千的。这种成功和运气不可复制。

现在儿子乐乐也送到幼儿园了，她就成了每天睡到日梢头醒来后就歪在沙发上看傻瓜剧的那类京城闲妇，身上脂肪日积月累沉淀得大个蝗虫似的，可以直接烤着吃了。没办法，啥人有啥命。

看到咱，她差点从沙发上掉下来，呵呵地傻笑："以为你挣了点钱在

091

上海搂个沪上小男人悠哉游哉的乐不思蜀了呢，还知道回来看看老姐妹的嘛！"然后乐颠颠地爬起来，彼此卯足了劲互相一个大熊抱，以表情意和想念。

"别提他妈沪上小男人了，我他妈现在都到调整期了，修整修整接着再来。"

"什么？"她坏坏地眨了一下变小的亮晶晶的眼睛，笑了一下，"不会套套被扎了个小洞被人算计了吧？"

咱也愣了一下，"你都整天没事瞎琢磨什么啊？你瞧我这样的整天起得比鸡早，干的比牛多，吃的也就比猪食好那么一点点，养只狗还差不多，闹不闹心啊？"

"所以你来对地方了，我刚才也是掐指一算，得，有蹭饭的来了，提前买了新鲜水灵的青菜，正准备小炒呢。"

哎呀，这么好，怎么说是咱的好友兼死党呢，话都说到心坎里去了，咱索性一不做二不休唾沫星子蹦老远地把个别男人的祖宗八代数落了一遍，才彻底感觉平衡了，然后看着她，"你是不是该进去表现一下厨艺，别光说不练啊？"

小娜眨着眼睛看咱一眼，又一眼，"也行，但你要告诉我我家大志在那边的情况。我知道你们在昆山碰面了。我家大志还是一表人才的，口袋里又装了几个臭钱，怕他天女散花到处骚包……"

092

"快去，先去洗菜啊——"然后声音大到她在厨房也能听到，"你家大志想骚包来着，男人嘛出门在外，野花不采白不采，只付点小费而已，门槛太低、成本太小了，偶尔出点轨是免不了的（厨房里从细细地切黄瓜变成"邦邦"剁了起来），应酬嘛——哎哟，那顶脆的黄瓜哪经得起这么大劲啊，慢点，有点诚意好不好——（又细细地切了）不过大志呢，常在河边走，只湿了半只鞋，基本上能发金质奖章了。你也用不着整天疑神疑鬼，就把心放回肚子里吧，每年美女一茬接一茬地收割，你基本一点风险没有，生了儿子，又是正宫娘娘，你就是唐家的龙脉，根基牢着呢，轻易碰不得，这一点唐大志心里清楚着呢。除非你无事生非，没事找事……"

咱还没叨叨完呢，臭丫就上火了，持着明晃晃的刀片跑出来，万分亲热地踢着我："咱们不吃黄瓜了，想吃啥？想吃啥有啥，我还没吃呢，一会儿弄个于家私房菜让你开开眼，好久没见咱们得一起好好干一杯……"

"啧、啧，干吗呢？把刀拿开，干活去！几天没见而已，势利成啥样子了，嘁！"

小娜笑呵呵的，一点也不难为情。"这哪儿叫势利啊，我们是好朋友，好朋友好到冰箱里的东西拉开随便吃，我还能搞点小炒；如果还有我家大志的好消息啊，就不是小炒了，我亲自做于家大餐。我整天一个人在家，耳听不到六路，眼也见不到八方，基本就听不到什么看不到什么，就指着你能帮我长点眼睛和耳朵呢。我这辈子铁定像不了你，南走北逛，我只有这两个男人，活活被圈死了，大志和小乐，一个都不放松，负责的人和事这么少，反正我不能失业！"

嗯，做家庭主妇也不错呢。该咱郁闷了，也对厨房里传来的香喷喷不感兴趣了，"你的意思是做得好不如嫁的好？"

"我没说，是你说的。"

咱不乐意了，就见不得这种小人得势，"哼，你嫁的好，嫁的好也不过一只井底之蛙，除了做饭还会做点啥呀，放到南极上你能活过我吗？"

"放到南极上，放到南极上大家一起冻死！我也就比你早死一会，不对，我脂肪厚，肯定比你晚死几分钟，大家又都没羽毛，牛什么牛！"

咱气得快没话说了，把乐乐的小皮球踢来踢去，"受老公的荫庇才露出头来的，你得意个什么劲啊，真是！"

小娜那一刻脾气真是好的不得了，就是不气急败坏，"我于小娜想想，其实也没什么得意的，我除了会做饭，会生儿子，又好命地嫁了一个好老公，其他还真没什么可圈可点的长处。对了，肉肉也长得快了点。所以啊，我的快乐，只好用在了厨房、儿子和老公身上，每天我一进厨房就开心，就快乐，就得意，因为我在其他地方找不着……这种运气也不是随

便什么人说碰上就碰上的！”

“哈，哈！谁稀罕！”

“稀罕不稀罕无所谓，反正现在咱要嘛有嘛，到了三十多岁，有自己的老公，有自己的儿子，有自己的房产，有自己的私房钱，还有一两个铁姐们，想想也算超值了。你就做本世纪著名的剩女吧，剩着吧，啥都没有，看谁会要你，再牛，再牛呀……”

咱抓起包就要夺门而逃了，妈的，人人都像得了失心疯啊。

“站住！”小娜已端盘子走了出来，“为什么不吃了再走？”

“你现在很得意啊，你自己看着吃吧！”说完不知怎么的，在原地一圈又一圈地转着，在幸福的人面前多少有点失落，马上跑去开门。

小娜放下盘子就追了来，举着两双筷子，笑吟吟地，“脆弱成这样，经不起打击了？”

“哼，你打击我？那我也能拿着擀面杖撬动地球了！”

“那你还气成这样？你应该知道的我一点也不羡慕你！”

“我也没羡慕你啊，我就见不得你那显摆的德性！”

“是不是大姨妈要来了？我显摆一下怎么了？还需要什么德性？”

“你让我吃不下饭！”

“切，说明你饿得轻！唉，算了算了，说真的，我是真的担心大志啊，是真的，我是井底之蛙，我的天空就那么大，我不郁闷，只是担心，没有安全感，姥姥的，外面的诱惑太多了，我只是没有安全感！行了吗？”

“我觉得你不会失业，大志基本面良好。”

“我相信你说的，你不会欺骗我，你我不仅是好朋友而已，还是死党……”

“靠呀，还不快请死党入席啊，我快饿死了！”

24

去看望王佳父母了，那一对不紧不慢节奏合拍相濡以沫几十年的老夫老妻，一对风里来雨里走，在中关村还是盗版一条街时就一点一滴累积智慧、经验和财富，到今天终于成为IT界呼风唤雨的权威组合，在生命的磨砺与融合中，也没少争吵过、谩骂过，也可能大打出手过，到今天却在历史岁月中共同铸成了爱与同舟共济的见证。

爱情是什么？是一段无法割舍的历史岁月的共同经历，是一场不可忘却的共同记忆，可以为之自豪，可以在回眸中潸然泪下。爱情是属于未来的，属于年轻心灵的幻想之歌，它的起始阶段是那么充满了无法言表的纯真和虔诚；爱情更属于过去，属于茫然岁月的一种痛惜的回顾和凝望，无论怎样的多折多舛，那种涤荡心灵的情感总能穿透重重岁月的阴霾和疼痛熠熠发光，让苍老凝重的心重拾温情与感动，恬然拥抱剩余的时光，静静走向死亡。

095

爱情走过鼎盛期，到了五十多岁，和人的肌体一样，还剩下什么？看看王佳的父母和自己的父母就知道，只剩下了家居生活中的恬淡和琐碎，偶尔的絮叨，偶尔的争吵和拌嘴，甚至偶尔孩子似的撒娇与霸道。这成了枯竭生命中全部的内容和意义。多么让人目瞪口呆和倍感失望，原来爱情的现在进行时这么少，它属于开端的想望和老了之后岁月的回眸，年轻时代的人们血太旺，胃口太大，要求太多，还有一颗敏于接收却付出迟钝的心，那一点点沙粒中金子一般的温情、爱和感恩就在各种忙碌与叫嚣的理由中被忽略，被遗忘，只在你老了，走不动爬不了时，穿越历史的烟尘被重新记忆。

在爱情上，我们都是贪婪者，守着一颗量出不量入的心；我们还足够冷漠，百般地袒护自己，百般地糟践别人。无论在什么难堪和负情累累的情况下，我们都会恨不得生出两张嘴巴来为既得利益辩护，把牵强说成真理，把走私视为理所当然，欺骗别人时也欺骗着自己。最后，我们成了地地道道的可怜虫，丧失了肌体活力和爱的能力时，才在生命岁月的尾巴中看到这儿一点、那儿一滴情感的金子，毫不犹豫地用记忆串起来，在成为了棺材瓢子之前挂在自己满是褶皱的脖颈上，喃喃地告诉自己：

人生是最宝贵的一段生命历程。生命对于每个人来说只有短短一段。人的一生应当这样度过：回首往事，他不会因为偷杀抢夺和辜负他人而悔恨，也不会因为在感情上巧取豪夺而羞愧。临终之际，他能够说：我的整个生命和全部精力，都献给了世界上最爱我的人和我最爱的人——为我的家庭家人和生命价值观而生生不息！

2006年，31岁的时候，俺终于醍醐灌顶，透过云层依稀看到了天光，觉得爱情不再是一件玩具，起码不是一件玩具熊，也不是一只味美的桃子，吃掉后把核随便丢弃，更不是一件衣服或一只破鞋。它是我生命的一部分，衡量着我人生的质量，见证着一个生命最旺盛的华彩，我得认真对待它。在达尔文的物种演化论中，俺只是生命的一个链条，如果负责任，还得把自己的x染色体传递下去，同时帮助另一个人把他的x或y染色体传下去。我们存在的意义除了在地球上吃吃喝喝睡睡，稀里哗啦地过上五六七八十年，穿衣、吵架、做梦、放屁和指责别人外，还有DNA的传递。

哈哈哈哈哈，俺终于找到做好人和正经人的理由啦。原来一本正经地生活一点也不难，很多真理就藏在泥垢后面，想得到真理，先兜一包泥沙回家淘洗吧，好像没捷径可走啊。

第一步，俺得向李林同学保证：陈一册以后金盆洗手改做贤妻良母啦，准备一桌子好吃的和一箩筐好话奖励一下吧。

第二步，向老爸老妈汇报：放心吧，你家闺女从此青出于蓝而胜于蓝了，笑眯眯地等着秋后摘桃子吧。不要欢喜晕了哦。

第三步，向世上宣布：俺光棍生活到此为止，朗朗乾坤，让那些坏女孩继续发疯去吧，俺得忙着虐待一个男人并管理他的钱袋去啦！

哈哈哈，这是一个心态健康女人的改邪归正，鼓鼓掌吧，或去放鞭炮啊。时效只有三天。

25

老爸老妈从唠唠叨叨到反目为仇有好几天了，这样惯了，咱也习以为常了。小时候还看到两人话不投机半句多，撸起袖子开打过。战术上老爸占了上风，战略上却一败涂地，老妈卷起铺盖要走人，还把三口之家的人口带卷走了三分之二。老爸很快举手缴了白旗，从此过上了被动防御老黄牛般的踏实日子。像水中的鱼，长久上不了岸，永远失去上岸的机会了。开始还有点看不惯，家里只让老妈一人作威作福发号施令还了得，这种独裁再开明也不能让人忍受，但老爸却很快显示了男子汉大丈夫说伸就伸说缩就缩的柔韧性，没表现出特别受压迫者的苦难和反抗，竟还能苦中取乐逗乐说笑话。我就觉得他可能喜欢这样的生活和氛围。

现在老爸都快成比目鱼了，看不见脊骨，只能贴着地面才能前行。老妈的话语权空前强大，在家里一百平的小三居里颐指气使少说二十年了。虽然平时某些小事翻来覆去地诉说、反驳、斥责、怒喝，一支独大的局面还是保持稳定下来。老爸是吃了秤砣铁了心要随波逐流了，对一再压缩自己生存空间反应迟钝，现在连自己的退休金也摸不着了，每每到洗衣机旁和我的房间拣丢弃的钢镚儿，到早市上为他心爱的鹦鹉换鸟食。

097

在家里好像只有我能与独裁老妈分庭抗礼，拉开架势一唱一和地嚷。

对付老妈咱向来是有办法的，从小就没怕过她，你一不高兴能卷卷铺盖走人，咱也能，铺盖都不用卷！

根据战略原则，对手的对手便能成为同盟，于是我和老爸就很少吵。在老妈、我和外人眼里，老爸是弱势的丈夫、亲切的父亲和平庸的男人；老妈则是厉害的一家之主兼首席执行官、唠叨而琐碎的母亲和成功控制了人事和财政权的家庭主妇。我呢，得想想，可能有人会为我自豪，不担心我生存不下去，但都不打算喜欢我。如果我像老爸，可能会讨人喜欢，话不多说闷着头多干活就行了，奉献嘛。

但这次吵架好像和以往哪次也不相同，老爸一样的愁苦，一样的委屈，当他在过道里沉默悲伤地顺着墙蹲下去的时候，咱就感觉到出了问题，于是顾不得放好包、脱外套，拖鞋也没换就闯进老妈的房间。老妈正在扔衣服。

"干吗呀这是？提着箱子又到姥姥家住？！"

老妈抬起头，被吓了一跳似的，却嘴上硬，"不要管我！冲我嚷啥呀！又是个不消停的！"

"你说冲你嚷啥呀！姥姥都死得骨头渣找不到几根了，我想问问你住到哪里去！是不是带张简易床放在坟头上！？"

老妈立刻扔过来几只袜子或手套什么的小零碎砸咱，窸窸窣窣落了脚下一地。

"没心没肺的东西，和你爹一个德行！"老妈就那样突然又起腰来吼，很得理似的。

"呵，我爸德行哪里不好了？我深为自豪呢！幸亏不像你！没事吵吵干吗呀？吵吵也没什么，干吗动真呀！"

"你爸好！对，你爸那货色的就是好！好，你跟他过去吧，我要和他离婚！"

哈哈，这哪里归哪里呀，老妈刚过了54岁的生日哎！恍然做梦一样，她也竟然提出了离婚！好不自量力！大风大浪都过去了，阴沟里也没翻船，正活得要吃得吃要花得花，风生水起时却要突然拆桩散伙——哪里幽了一默？

父母这对组合的稳定在咱看来是天经地义的，尤其是自己的父母，真要分拆，我比他们要着急！要分早干什么去了？不知道离婚要趁早吗？真是的，人家父母离婚，活该离，咱管不着，自己的父母只要敢离——也是没脾气的，只管尽力撮合吧，又不是什么大矛盾，芝麻粒大的事非当作西瓜来看，你给它打回原形就行了。

咱听到自己响亮一笑，"哈！什么！你觉得这种事很好玩很时尚很酷啊！你以为你像我一样才30岁呀！你以为失去一条枷锁能得到整个世界啊！？呵呵，真是笑掉我一颗大牙！真的么？"

就那么毫无畏惧和恶毒地挑战着老妈的眼神，老妈果然跳了起来，指着俺的鼻子骂："真是生了个李鬼！狗屁不懂！你怎么不气死我？！"

"没事干吗气你呀？少一个人唠叨我还不舒服呢！说说看吧，干吗离……婚啊？离得起么？"

本来说话都缓和了，老妈一提到"气死我"时，就表示妥协，用"不孝"提醒咱不要这么气她，所以咱也懂得赶紧丢块石头放到脚下，让她过来。没想到老妈却来了精神，背过身去，"过够了！"

咱就过去坐在她收拾好的衣服上赖着不起来，掰着手指一条一条数落她的不是："老妈这样可不行，话不能反正都让你说了！你是咱家财务一把手吧？独掌钱袋子三十多年了！你是咱家主席吧，甭管大小事，哪一件哪一桩你说了没算？就是事情办瞎办黄也没见你批评和自我批评过。全家都是你的，犯不着犯神经往外扔东西吧！什么话你都说了，老爸除了附和响应你的政策，给你造过反吗？我一直觉得你过得像王母娘娘一样呢，在咱家一亩三分地里，还不是要风得风要雨得雨！都这样了，你还动不动摔桌子砸板凳，你好意思啊？！"

老妈可不是吃素的，马上嗤之以鼻，"你丫头片子也敢这样说我？打断你的腿！从小养到你现在我容易吗我？这么大人了，不知道浇水熄火还再煽点，真是白养了你！"

咱开始打哈哈："算了吧，也不怕我笑话！老爸哪里差呀，要是换上别人，懒吃懒喝不说，处处与你争夺控制权，你不也是无招嘛！有人离婚是为了解脱，为了更好的开始和前程，你和老爸要分开了，对不起恕我直言：你连哭的门都找不着！普天之下，谁服你呀？谁还对你言听计从？我是你闺女我也得说，我就是不服你管教！你老了，我负责你食宿看病和生活医疗开销，还给你请个保姆并祝你万寿无疆外，想不起来还有什么要做的，在这个世界上，只有老爸能有时间和耐心分享你的脾气和唠叨，没有其他人！你最好记着！指望我？你会失望的，我也许会感激你，但终究会离开你；老爸也许不会感激你，但决不会离开你，你所有的一切只能与他分享。一辈子能有这样的伴，也得学着感恩吧！你和老爸也许没有爱情了，早没爱情了，但你们分不开，不信你试试，不是因为他更需要你，而是你根本就离不开他。知道你没有道歉说对不起的习惯，就出去给大伙做顿饭吃吧，饿死了。老爸！老爸……"

只听外面哗一下，玻璃碎裂的响声。我和老妈连忙跑出去看，昏暗没灯光的客厅里，老爸正弯腰从地板上捡起一只足球手足无措地看……

"老爸，以为你想不开跳楼了。"

老爸莞尔一笑，"不是要我买肉炒菜的吗？好说，要三斤后臀尖——现在的小孩越来越没规矩了，小区广场那么大，踢不开呀？"老爸一扫愁云，提着菜篮子托着球出去了。

"你看，老妈你多好的福气啊！早磨合出来了。"

"那个医生到底怎么样了啊？"

救命啊！

26

让老妈这么不经意一闹腾，买房的主意又压不住了。北京这几年如果说有什么变化的话，最显著的莫过于四环、五环、六环、七环、八环、九环、十环这样摊的大饼和饼周围拔地而起的高层住宅。就像盖楼不要钱似的，一个月不去大街上转转，眼花缭乱得几乎不认识了。咱还是喜欢北京，近朱者赤，近墨者黑，所谓有什么样的国家就有什么样的城市，有什么样的城市就有什么样的市民，俺已是这个池塘里的鱼，上不了岸了。

老住在老爸老妈家里也不是办法，虽没往外赶，但自由兼快活不起来啊，晚上看个限制级光盘也提心吊胆的。这都是小茄子，关键是老妈又心血来潮般旧事重提，离婚？真是的，有点吃饱穿暖没事找事的市井劲头。那就离他们远点，月末不给钱了，切断经济供应，再让你们闲着没事做！

马马虎虎看了几处房子，像巴黎春天、上东国际、维也纳森林、柏林风度、罗马嘉园、澳洲嘉年华什么的，全都打着高尚社区的花架子，周围不是尘土飞扬就是光秃秃的，楼高得能望到天际线，人口密度吓死人，几千几万套房子却没有一个布局像样的户型。看来还得再来一拨饱和式开发，这房子只能作从温饱到小康的跳板，小康之后呢？大家不会不活了吧？估计那一阶段的房子才可能与品位真正扯上关系。

还有北京的地名太多不吉利，风水也不够好，公主坟、八王坟、青年沟、黑山扈、什么洼，上述一串串的欧式美式澳式高尚区有不少便在坟头、沟里、洼里什么的，很黑色幽默，也江湖得不得了。

房子没看完，王佳便把电话打过来了："买房子干吗不找我先？"

"有事找警察，你又不是警察。"

"我不是警察我有房啊！要多大的，几室几厅？"

"你的破房子不要！"

"不破啊，还便宜，再打一折你就要了吧。你上班也方便啊！"

"就是你和吉重生住过的那二居？这不是买二手房吗！"

"二手房又不是二手内裤二手老公什么的，有什么要紧？我甩卖给别人也是卖，甩卖给你不心疼，肥水也没流外人田啊！"

"我再想想。你那房子如何卖法？算了，不好，那社区里人气不行，不三不四晃来晃去的居多。我想找个地方楼上住着明星，楼下躺着市长，对门是某上市公司的CEO，斜对门是中央电视台露脸最多的男主持人，再斜对门是世界冠军，再斜对门——"

"你搬到我父母家里住去吧，那里可以满足你的虚荣心。按原价，按五年前我买的原价卖给你，够意思了吧？基本上和白捡的差不多！"

五年前两千多，现在七千多了。

"这样宰你也太那个了吧，不能要！"

"你的意思是让我白送给你？老姐，做人能厚道一点就厚道一点，不要让我血本无归吧！我和马克手头也紧张，多少还是给点吧！你不知道，前几天老爸激我，说马克读一年语言学院，我能卖一年盒饭就允许我们结婚。我有点不知死活，竟痛快地答应了，到现在，有点骑虎难下了。"王家千金可怜巴巴地说，让人想起了一只狗守着一堆肥骨头却不知往哪里派送的感觉。

"看到你没事成天请吃做喝的，你老爸在有意锻炼你，让你知道小麦是地里长的，不是树上像摘苹果似的摘的。做盒饭还不容易啊，你不是想拉我入伙吧？实话告诉你，这种毫无科技含量的低附加值小成本买卖我是不会看一眼的，肯定你爸也是心血来潮看你荒着也是荒着，不让你知道知道锄禾日当午，汗滴禾下土，将来怎么接管你家的家产呀！马克到底也是个外人，不见得靠得住。"

里面一串唉声叹气，"这些我都是知道的，饭好做可去哪里卖呀！沿街叫卖？人家会不会说我神经病？"

"当小商小贩就要脸皮厚，现在我的都快赶上长城了，你老爸锻炼的就是这个！"

"你得帮点忙啊，房子便宜处理了，有了启动资金，你得帮着想想办法啊！"

"好吧，今天中午给我送一盒，两盒也行，吃不完给我家翠花带着。劝你开始做时就做三五盒，我、马克、你爸你妈都得吃吧，然后给唐大志和小娜一家三口打电话，通知时不妨价钱定高点，先送去再说，不给钱就坐在他家里不走了。杀了熟人，还有半生不熟的，亲戚朋友、同学什么的，开着你那辆新宝马满大街送吧，说不定二十年后真成快餐老板娘了呢。"

嘿嘿，不管怎么说咱这样搞了一套NB价的二居室，位置还不错。所以，当你有机会帮助别人做点好事的时候，一定要诚心诚意的啊，决不会后悔的！

27

对不起，咱对辉辉已经兴趣不大了。就觉得那二十郎当岁的毛孩子幼稚得厉害，没吃过猪肉也没见过猪跑的样子，从那么狭窄低矮的角度看待社会，要用个好听的词，是涉世不深和纯洁，不好听的：狗屁不通和浅薄。

一个男人的魅力无怪乎这几个方面：生存能力，智商，品性，身材（主要关乎基因遗传，养眼还在其次）和思想深度。辉辉太小了，几乎承载不了魅力，只能用可爱和不可爱来形容。

在灵魂深处我是孤独的，没什么人去爱也不知道如何爱。有些人只能陪你走一程，走到门槛前，娱乐娱乐，他迈不进来，也不想让他迈进来，然后像划出去的火柴那样，感官愉悦片刻后，悄然熄灭。没有火光照亮我的灵魂，就像没有男人能拯救爱情一样。

一直没搞明白爱情是个什么东东，是身体成熟后催生出来的性幻想吗？里面有人物、时间、地点、事件、事件的发生、发展、高潮（或许没有高潮）和尾声。其中人物是主要的，除了自己，另一个是能配合和配得上自己的，当然愈完美愈好；如果自己是凸凹不平的一段山坡土路，对方就像一场雪，覆盖下来，每一处就体贴，匀称，薄厚一致。想想都困难啊，这年头除了狗和其他无法独立生存下去的家畜，谁还愿意当随形而动的雪啊，就是当了雪能不能演好后面的角色还不一定呢。

一直认为把素不相识的男女铐在一起囚度一生是件顶残忍顶厌倦的事，也许就有人真的一辈子和和美美恩恩爱爱，但决不是全部。大概三分之一的人能白头偕老，另三分之一的人一生结二次到五次不等的婚，再另三分之一比较复杂：结五次婚以上的，同性恋的，变态的，同居一生的，彻底的独身主义者等等。这种分类估计最接近真相吧。当然你要以第一种

103

为荣，歧视第二第三类，你就彻底无耻了！没什么好侧目的，一切都是常态，尊重一下多元化吧。

当辉辉打来电话时，咱脾气很坏地冲他嚷嚷："正在公司加班呢！晚上一个人睡！"

其实正在逛街呢，逛得不耐烦，小娜王佳一个个坏东东也不过来当第三只眼，有些衣服穿在别人身上就能说出一二三四五六七八九来，当穿在自己身上时便觉得眼神不够，缺乏客观的审美。

辉辉说："姐姐，明天行不？"

"行不行现在不好说，明天再打电话给你吧！"

他小子就像大学校园里养的一只猪差不多，整天无所事事，不是不切实际地瞎幻想就是多愁善感。可惜他将来不是用作杀来吃肉的，而是放进森林里同虎狼狮子兔子狐狸等竞争的，先不说他先天基因里遗传了什么性情和骨骼，光是后天在小、中、大学的围墙里圈养了这么多年，就绝对在野生食物链上处于下端。

104

促狭的小圈子里容易百看生厌，容易内讧和自我伤害，为了不打击他，不虐待他，还是放了他吧，让他走远点。可能他还要受虐待，但不要受我的，也算眼不见为净。

"姐姐，你还爱我吗？"

"别给我戴枷锁——从没爱过，只是曾经喜欢。"

"还要我吗？"

"要，在将来某个夜晚，在心情更好或更糟的时候。"

那边电话在伤感中挂了，像山雨欲来天空中的风筝。

逛到西单文化广场，远远地有人跑过来，"嗨！叫你呢！听见没！什么臭耳朵！什么人呢，还不等等我！"

是王佳。在爱情的滋润下，小脸红扑扑的，一副天塌下来有人顶的幸福样子。

"怎么才来啊？晚上请我吃饭！"

"嘻嘻，给你三盒盒饭吧，连咱爸咱妈也一块请了！"她一脸快乐，不知丢人几个钱似的。"要不你晚上提走五盒，明天早上吃，床也不用起，在被窝里就解决了。"

急得咱哭笑不得，哪有这样推销的呀，耍乖弄痴恬不知耻的样子。"我不能每一顿都吃你二十块钱一盒的盒饭啊，太过分了吧！你车里是不是都是盒饭啊？"

她点点头，一脸辛酸，"也不多，只带了二十盒，不知给谁送。要不你拿走十盒，明天不是周末么，省得做了，还省你煤气水钱呢！要告诉你，是我妈和保姆亲自炒的，都说巨好吃。另六盒给小娜家送去，剩四盒我和马克晚上消灭干净。"

咱瞠目结舌地看着这个死心眼，"不好意思斥责你只知道赚熟人的钱，你怎么不在大街上，到处是写字楼，喊几声，送啊！火车站里的人不是挺多嘛，饿你三天就拉下脸来了。"

"好姐姐！"她低眉顺目的乖样子。

"好吧好吧，跟我上去买几件衣服，然后到我公司里去，有人在那里加班，就说我请客！真是的，你家老爷子那么聪明的人就摊了你这个不开窍的，该多倒霉啊！"

"哪学来的语气？像你妈——像咱妈！"

"干吗？我妈能说我，我就不能说你啊？"

买衣服时，恨不得拿盒饭跟人家换，但没人要。看在她超低价卖给我房子的份上，咱还特意在商场底下工商银行里新申请了一张卡，里面存了1000块，连同密码送给她，自己整天吃她盒饭，自己的亲戚朋友也在莫名其妙地帮着吃，都忘了几盒了，她自己数得清，自己到卡里拿钱吧。

王佳好高兴，没见过牡丹卡似的，其实她最普通的一身行头都超过这个数，只是这是她自己亲自挣来的，并万分感激咱这个铁定客户。实事求是说，王家老太太炒的菜很好吃，不辞辛苦地精心小炒，为了锻炼闺女老两口才不得已出此下下策。咱实在是太忙了，不然就替她打开那些高档写

字楼里白领们的市场。

逛到了傍晚，王佳手袋里的衣服远远超过了我的，花费也超过她半年卖盒饭的。

28

分管技术的法国人让说，雷伊可能要与他金发碧眼、不再美丽但气质优雅的老婆离婚了。这是他第二次婚姻的终结，共11年。

11年还短啊？整天面对一个长相和品性都定了型的男人或女人，尤其是其面目五官和身材都在变老和松弛，加上时不时为调节气氛和心情吵点小架，烦也把人厌烦死了。总觉得人在解决了衣食住行和精神需求之后没必要再为传统和惯性生活买单了，就像狗在发现了漫山遍野的排骨，该离开对人类的依附寻找新的生活了。因此咱是幸灾乐祸的，觉得那个不再美丽的法国女人真是英明，把女人最好的青春年华浪费在他身上了，就拒绝把生命的尾巴也浪费到他那里。如果是俺，俺早就离开了，提着行囊，背着相机，满世界拍猴子。

雷伊已两天没来上班了，偶尔露一面，也是低调地坐一会儿，然后不声不响地走掉。让说雷伊很伤心，常发呆，常泪流满面。

真是性情男人耶！但咱没打算安慰他，公司其他够上格的人都安慰过他了。我不会安慰人，不知道说什么才好，有些伤口必须得靠自己的免疫力去愈合。如果是我，只会趾高气扬地过日子，你越离开我，我越表现出快乐和愉悦的样子，不能以痛苦的表面化来表示软弱。

好多天没去酒吧了，想念起那里的幽暗、暧昧、放肆和凌乱，下了班就到"北国之春"喝啤酒。

"你说啤酒肚是喝啤酒喝出来的吗？"

调酒师慢条斯理地答："不是，别让啤酒背黑锅了，在啤酒面世之前已大量存在那种大腹便便的肚子了，只不过叫大肚腩或南瓜肚而已。如果有一道禁令禁止再喝啤酒而改吃西瓜，二十年后就会有西瓜肚流行了。这不是啤酒的错，喝啤酒的好处更多，比如它的营养、解渴和……"

"和证明有能力喝得起它。"说话者是雷伊，他有些醉醺醺地不知从哪个地洞里钻了出来，趴在吧台上继续讨酒喝。

"为单身，为重获自由干杯！旧的不去新的不来，幸亏她先提出的，你的经济损失不会太大吧？"咱与他的杯子碰得叮当作响。

"珊，我没料到……你体会过这种失败，这种被人丢弃的滋味吗？我很爱她，真难过！"雷伊苦着脸，显得无奈而苍老。酒喝多了，也显得沧桑和愚蠢。一周前他还是个优雅十足自信满满的的巴黎老绅士。

"对不起，我从没想过要拴住某个人，也就无所谓被不被人抛弃；也从未想过被某个人拴住，也就没抛弃过别人吧。丢掉一个经年锁链，得到整个世界，你自由了。为你的新生干杯！"又把他的杯子碰得叮叮当当。

雷伊把杯子端得东倒西歪，露着一排保养得整洁的牙齿——他到80岁还保留着24颗牙齿是可能的，恐怕到时我能剩下三五颗就阿弥陀佛了。

"女人……真可怕！我一生，法国男人的一生所做的就是如何讨她们的好，如何照顾她们，可她们最后总要抛弃我，抛弃法国男人，抛弃法国……"

咱到底忍不住笑出声来，"我的印象中，法国是由法国女人创造出来的，法国文学在爱情这方面，地球上无人能出其右，连很有名的《自由引导人民》那幅油画中的旗手也是漂亮而性感的巴黎女人，最最经典的法兰西之花至今还高举着火炬屹立在纽约的大码头上引领世界呢！劝你别伤心了，小配角也有小配角的活法，看开一点，别人要自由要打破固有的秩序重新组合，就不要哭着闹着扮演那道阻力了吧。男子汉大豆腐能屈能伸，靠边站站让女人们去征服世界吧。"

雷伊睁圆了醉眼，"你说什么？真的么？"

"我说法国女人要比法国男人更有魅力，由她们塑造的法国和法国男人很可爱哦！"

107

老头不置可否地笑，"我觉得中国才是这样呢。中国的可爱完全因为中国女人的存在，没有这些女人……"

"呵呵，女人们万万岁！在这一点上，中国恰恰和法国一样，和欧洲一样，整个地球都是如此呢！好，为地球上说一不二飞扬跋扈的女人们干杯！"

雷伊的确喝多了，到卫生间呕吐了若干分钟后便赖在吧台上不起来，也忘了家住哪里了，恰巧我也忘了，如果我回家，他得在大街上过夜。

"珊，我一天没吃饭了，找个地方得吃排骨，要便宜的。"肚子清空了，便像个小孩子似的要吃的，好像还没醉得很厉害，还知道要便宜的。

"干吗吃便宜的呀？你挣的又不少。去家西餐厅怎么样？"

"不，要最便宜的，忘了带钱包。零钱都给卖酒的了。"

"好吧，都这时候了，我知道一个免费的餐厅，晚餐一律不收钱，吃白食，吃白食你明白什么意思吗？带你见识一下。我也没带钱包。"

雷伊很明白目前的处境，乖乖地跟着走，还非问个清楚在什么地方。咱就把什么区什么门牌号告诉了他。在大街上打了的，直奔天上掉馅饼的地方。

两刻钟吧，出租车在一幢灯火通明的六层小楼下停下来，趁我付车钱，雷伊大概饿坏了，自己径直爬楼梯占雅座去了。只是给司机师傅指了条便捷出口的当儿，又见雷伊拱着背苦着脸出来了，孤零零站在那儿，听话地等。

"怎么又回来了？四楼啊！"咱还纳闷。

"没找到，好像是私人住宅……"他不确信地嘟哝着。

"不是私人的该收你饭钱了，你不是没带钱包么？"

和他一起又上楼，按门铃，一会儿老妈狐疑地探出头来，又定定地瞧着咱身后酒气冲天的西方人的面孔。

"开门吧，我们来吃饭的。介绍一下，我老爸老妈，这是我老板老雷，常向你们提起的优雅十足的法国绅士。"

一直到以后很久，雷伊还很羞耻那晚以那种面目给俺爸妈留下的最初印象，常后悔地埋怨说："那天你要说是英国人或美国人就好了，反正中国人是分辨不清的。"

老爸老妈一边吃惊一边嘀咕去了厨房，做了一些甜汤，没做饭。饭桌上，包括冰箱里全让白色快餐盒堆满了，全是王佳那臭丫卖不完糟践不完让俺家包了。按老妈的话说："近三天没动火了，整天吃盒饭，还往邻居家里免费派送。佳佳说是你付过钱的，不要白不要。但也忒多了，你没事订这么多盒饭干吗呀，有毛病啊？"

立马给王佳打电话，真是个死心眼！

"臭丫，那一千块钱我准备吃两个月呢！干吗近期都堆在我家里呀？顶讨厌……"

"哦，一珊啊，"接电话的竟是马克，语气低落。"我也天天吃盒饭呢，是顿顿吃，有点受不了了。佳佳每天要我上交60块钱，少一分是不行的，而且我未来的岳父岳母也是顿顿吃的，不给她饭费她不回来，现在她还没回来呢。我真该刮目相看呢！"

咦，"刮目相看"也会用了！

29

珊丫：

你好！我是你可怜的姐夫大志。有些话、有些事本来呢不该跟你这个坏分子说，但现在我处境十分不妙，比中东难民好不了多少，看在我过去大帮特帮你的份上，劝诫和敲打一下我老婆小娜吧，自从生了儿子，她彻底当了老大，俺沦为第三了。第三就第三，底层生活也有底层生活的优越，比如分摊掉全家90%的劳动和苦难，消耗80%的郁闷和气包，吃掉99%的剩饭（那1%偷偷倒掉了），咱也无怨无悔，想当纯爷们不是！烦就烦在小娜臭丫头得寸进尺，不仅大志二世那小子的尿片奶瓶归咱收拾，连他妈的小衣服大外套也指定给咱了。按说男子汉大丈夫多干些家务也无所谓，但孩他妈生育后性情大异，死抠的厉害，为了算计电费，不让咱使用洗衣机。现在俺手指浮肿得着实赛过红烧猪蹄了。

从什么时候开始，女人像男人这样对待生活了？不幸啊！昨天我不一留神生了一场由病毒攻击带来的感冒，四肢无力，头脑糊涂，心里想念香喷喷的鸡汤，央求老婆大人屈尊赏一碗——八小时后才哈欠连天地端来，尝一口，真真是命苦啊，早就告诉她抽屉里第二个小盒里放的是糖，不是盐，鸡汤甜腻腻的还能入口吗？！唉，你感冒了也让我家那口子给你煮一碗催呕吧。

第三件事是老毛病了，人尽皆知了，人长了一双眼睛不就是为了看路和认人的吗？但俺家小娜雌性越来越盛，一见我在街上张望便走过来狠狠地掐俺的肥肉，偏偏那里血管交错太多，青一块紫一块的。我不得不撒谎对窃笑的好事者解释：是自己摔伤的，不对，是我儿子闹着玩给抓的。你说不许在大街上看人算什么事啊！这年头谁还稀罕看美女！

更不人道的是，我是家庭至上主义的坚决拥护者，每月薪水全额上交，说白了吧，我的工资卡自从去年上交后到今天我都忘了啥模样了。老婆明显爱钱胜过爱我，每月只给二百块的零花，不光烟没法抽了，内裤也没着落了，上上下下受尽委屈啊！好妹子，一定要在零花钱上帮我唠叨唠叨啊！给你点回扣行不？

还有，由于争着抢着要做新世纪的新好男人，晚上又是尿片又是奶嘴的，活动过于频繁，睡眠严重不足，导致精神萎靡不振，开着车老打瞌睡，看在人类安全的份上，帮我减刑吧！

还有，有好一段时间没有添新衣服新鞋子了，帮咱问问本年度还有轮到我的可能没？

最后一件，也是最不可忍受的一件，有了儿子，我无论是从形式还是内容都好像成了多余，没有人再来慰问我的精神和肉体上的快乐了！请珊妹妹救我，务必！

致以最崇高的敬意！

姐夫：唐大志

4.7

亲爱的狗丫大志：

你好！首先祝贺你成功更新换代，而且看得出来，第二代更加品种优良更加惹人注目和杀伤力巨大。你可以如期收拾收拾一边墙角里蹲着去了。

看在人家螳螂爸爸为了儿女情愿化作锦衣玉食的份上，让你洗洗涮涮实在是小菜一小碟，不知客气了多少。让你洗洗衣服说明你的健康还是可以的，手指还能灵活屈伸。在失去灵活之前，麻烦你力所能及地能多干一点就多干一点吧，顺便也把地板拖了，马桶洗了。

男人来到这个世界上不只是贡献精子的，对吧？至于给你家二代换换尿片拿拿奶嘴之类不足挂齿的小事，不提也罢。小东西来到世上可是姓唐的，要是你让改成俺的陈，俺会立马雇个人把你替换出来的。做人要有良心，拿走和拿来平衡嘛。

111

至于你被剥夺了零花钱、生病喝不上鸡汤和没有新衣服穿这些小菜菜，俺这人生性有好生之德，给你讲讲俺身边的故事吧。前几天俺左邻的老婆把十张一角的毛票塞进他老公的口袋里作一年的零花，同时警告：明年到这个时候口袋里最好要剩下五毛，否则，哼，减半！右邻的居家男人前几天也像你一样中了病毒性感冒，人家可没有奢侈地喝什么鸡汤，而是直接把头伸出窗外喝沙尘暴！俺楼上的男主人也有跑到街上乱顾乱盼的毛病，人家女主人实在英明，弄来一个长长的麻袋往老公上下一罩，不仅看不到外边，外边也看不到里面，于是又买了一只导盲犬，导着老公上下班。俺家楼下一对夫妇上个月恰好也生了只大老鼠，那老鼠的父亲已变成献殷勤献到敌我不分的大花猫了，哪里有动静就嗖地窜过去，端茶递水，洗衣做饭，猫步都累变形了！可贵的是就是没听见人家抱怨一声。

至于无人过问你的精神和肉体的快乐，做人要厚道，随主流，人家男主人孩子出生后都累死累活谁快活了？咱们的祖祖辈辈也不屑谈论这种有损声誉的弱智问题的，人家考虑的宏伟问题是如何养活孩子！

都不提干吗你提出来了啊？你基因变异了？你们男人不是被从小教育成内向、害羞、无知无欲、不屑竞争、无欲则刚的小泥鳅吗？党和国家又没同意，你干吗先关心起自己来了？真是的。不批准！

你的精神导师：陈一珊

4.10

30

经过一段适者生存的体验后，一些不合格的销售人员落花流水般被淘汰掉了。有的人生性木讷，做事糊涂，怎么提醒也不上道，就辞退了。有的人则过于世故圆滑，爱抄近道——有些近道可抄，有些则不可抄，一有机会就跑到雷伊的耳根子前夸夸其谈，一不留神谈了我的不是是最不可原谅的。

对不起，咱不能容忍下面人互相背地里拆台、攻击和说坏话，当然也包括说我。我非常不喜欢国人中就有那么一部分人，最擅长也最拿手的就是互相挑拨，渔利自己，或自己连利也沾不上，就在那里有意无意地策动人际关系，当你累死累活为公司卖命时感觉到脊背发凉。你很难猜测他或她出于什么动机，你的天职便是搞销售，建立与客户之间的人际关系，搞好服务，提高公司形象，最终化作公司利益——把产品卖出去。这才是你应该做的，骨干业务员所负责的区域各不相同，自己一亩三分地的工作搞不好还有空去挤兑别人，你他妈做事做人上就存在双重问题！这儿不是国企，干不干活也没多大问题。你屁大的能耐没有，光靠嘴皮子功夫试试？再去雷伊那里告状试试？搞不好让雷伊和你一起滚蛋！顶多总部再派一个钦差大臣来。中国人不可信，他妈的订单可不可信？

咱还不买雷伊的账，你是总部派下来的你了不起啊？有些人就那德行，和他搞对抗他才高看你。所以咱明令对下面人说：不喜欢染黄头发，天生黄毛没办法，要是特意染了，对不起，就别在咱面前晃来晃去，见了你就是不高兴！为什么，我给你讲个故事，这个故事是马克无意中透露的，他说他在中国自我感觉良好有两个原因：一是先天在德国社会熏染的，说中国落后，人穷；二是到中国后，中国人对他的追捧和仰视让他觉得自己的确有高等人的特质。你不知道吗，很多时候别人的眼光能重塑你自己。

这话对我的冲击——我简直再也不能内心平静，觉得有义务矫正过来，哪怕矫枉过正！平等的视角再不屑有，就要搞一下俯视。哎，俯视久了，竟也改不过来，这也成为与大家关系紧张的根源。

雷伊的头发有些灰白了，但公司里几个外籍技术部的人都一头金灿灿的，就是讨厌追捧他们的新来的小秘，常服务于雷伊办公室和技术部，时间一长，心态大异，不知哪根弦没搭对，觉得自己高等华人似的趾高气扬起来，只爱让法国人呼来喊去，业务员要个配合什么的要翻白眼睛。等有第二个业务员气愤地反映上来时，就觉得问题很严重了。业务员的账咱买，同属一个船上的人，为他们提供一个良好舒适的工作环境也是咱义不容辞的责任，共同进退的团队嘛。你小茄子算什么菜呀，让大多数不愉快就得修理你！

周五开会时，当着全体员工的面就让小茄子下不了台："赵一曼小姐，以后销售部忙了，会忙的不可开交，业务员有事要配合，你要义不容辞地随叫随到！以后技术部和雷伊先生的茶和咖啡麻烦让他们自己倒，多活动活动，血压不高，也不会得脑血栓！"觉得这话难听了，转向技术主管让，平衡一下，"让绅士，以后你属下谁要忙得咖啡来不及倒，让他们叫我，我来给你们倒！"

脸色隐隐作变的雷伊这才找到了台阶，"叫你倒？还不渴坏他们！"

最不高兴的就是赵小姐了，分明大庭广众之下出她的洋相嘛，都快要哭了。妈妈的，只有这样你才不东说西说南挑北拨觉得自己身份特殊乱告状了吧？

末了，雷伊诚恳地问："这个月底七百万的订单有没有把握？向总部的季度报告该动笔了，写到什么程度？"

每到月末季度末上司的口气恨不得请全体员工吃法式大餐。做甩手掌柜的坏处之一便是不能丢掉拐杖，无法预测将来。我发誓将来无论做到什么职位都要避免沦到这等位置。

"赌一把，本月底如期完不成我给你倒一个月的咖啡或茶。"

雷伊几乎要笑出声来了，"要完成我给你倒一个月，不，一个半月的茶！"

他宁愿给别人倒茶也不愿业绩下滑的。中国北方区要做的好，业绩可是算他一个人的。

"我不喝茶，改喝瓶装水了。赌把技术部的头发染黑，和我们一样，不是个坏主意吧？当然你也可以当玩笑。"咱还没心狠到让他们拿着一二百年前的葡萄酒兑雪碧喝，所以他们都点了头。

该轮到小秘难堪了，到时候就她一个人枯草般的头发飘来飘去的，就不是酷了，也不属于特立独行——有种把头发染成绿色蓝色，这种标新立异咱才赞赏呢。本来呢，咱应该厚道，不与她这一级别的小人物争长论短，怎奈下面业务员对工作辛苦已到了临界点，必须找点他们看着心烦听着恶心的小事敲打一下，疏通邪火，就像地下岩浆沸腾到一定程度喷发一下一样。只是这个喷发点选在了小秘身上，也怨她身上毛病太多了，别人都累得要命，让你发发传真，打个电话，咨询一点小事你翻什么白眼啊！帮雷伊和让们倒咖啡你咋不累了？你知道你这种做法让多少人难受啊，把所有人的情绪往低劣处带，你不知道你身后站着我们吗？我们很要脸的！典型的欠扁。

散会时主流情绪都很好，下面业务员憋着劲要好好完成七百多万等着看小秘的笑话和法国人中式接轨，法国人也兴高采烈地等着七百多万的订单。咱都快累死了。

接下来想招聘新业务员。雷伊基本上不管了，想用什么人自己看着办吧，反正有定额销售任务。他也算识时务，要不非吵架不可。

当第一次拥有独立的招聘权，有点像官僚选择什么样的人进入他们的利益集体和梯队时，咱竟罕见地发现自己的情操和公德心多少有点高尚无私呢，既没想到王佳和于小娜及她们的亲戚那帮乌合之众，也没考虑平时出门时碰到的左邻右舍有心无心关照过的：让我家二牛进你公司吧？这种关系户！呵呵，众目睽睽下作弊的确行不通啊，再说有公司行之有效的管理制度，别自找白痴啦。

当把招聘桌支在国展众多大厅中一个不起眼的位置时，两天内就接到两万份求职简历，还不算邮箱里密密麻麻的几十页，而提供的位置只有两个。单从学历看，大专以上博士以下占90%，年龄从20～50岁不等，正是一个人的年龄最黄金最具创造力的阶段，要是都有合适的工作或找到做事的位置，中国新一代势力就迸发出来了，蕴含的能量要超过美国和整个欧洲。

31

吴家敏终于选了一个黄道吉日和小她17岁、三天前刚过三十岁生日的小男朋友结婚了。谁说老夫少妻是世俗成熟的标志，老妻少夫又不能挑战世俗了呢？只要你有足够鼓的腰包和足够高的社会地位，那些浑然不觉陷入俗套的势利小百姓的唾沫才不会淹到你呢。现在可同性恋、人妖都满街跑了。哦，到处都眼花缭乱不够看的，哪还有功夫顾及到你。

婚礼选择在长安街上鼎鼎大名的超五星级酒店里。本来按吴家敏的意思，小小的操办一下就算了，弄那么大排场也不能增加爱情保险系数，反而华而不实。那怎么行？很多朋友都义正词严地劝导她：做人决不可以这么自私，你不是第一次结婚当然不新鲜了，人家新郎大小伙子可是第一次啊！再说了，不拿排场镇住他，哪来的刻骨铭心的记忆？很多男人一生中有不少女人，首席情人、次席情妇或小蜜大蜜什么的，但原配和老婆一直是他记忆中最端庄最特别最显正式的一位，就是因为他们那场隆重而正式的婚礼在他心中烙下的深刻记忆！婚礼一定要办成分水岭似的，以后他就是你的了。豪华婚礼还有个作用，一个普通男人一辈子能经历几件值得庆祝的大事啊，这个一定要成为让他做梦都想到的头一个，万一他有机会再结婚，显而易见也不能出其右，那他这辈子注定是无法对你忘怀了。

更主要的是：你不是没钱。

吴家敏和上代守旧女人一样，做梦想的都是白头偕老的男人，于是决定采用豪华婚礼。

富人的朋友显而易见地多，不是为富仁与不仁的问题，而是人家老吴发家过程清清白白，没盗挖国库，没权力寻租，没垄断紧俏资源，也没坑害别人，而且为人正直豪爽，八竿子打不着的朋友也乐意过来凑个热闹。

咱给她包了个888块的礼包，比起她给俺的订单那种好处差老远了，但"发发发"的谐音附带的吉祥可是无价的，万一她将来再发大财，说不定就是俺祝愿的。

婚礼上的高朋满座最能说明一个人的人缘和附加值，若不然人家来干吗？光凭那杯喜酒？交的礼钱都够买一车二锅头了。席间也有不少政府高官，人模狗样的，比小民还会攀高枝，而且脸都不红，坐着那么昂贵的进口车，咱不安的是他们花的有多少是俺们的纳税钱？

老新娘穿着大红的开高衩旗袍，脸涂抹得厚厚的，日本艺伎似的，也不知哪个缺心眼的给画的（人家说不定还振振有词说是最流行的呢，什么德行啊！），头戴一朵夸张的假珠花，除了真心的笑容和胖胖白白的大腿，一切都很假，像马戏团的猴子似的被一桌桌以前不敢大呼小叫的男人女人呼来喊去地灌酒开玩笑。新郎也木偶似的，在熟人的恶作剧中跑来跑去。

你不能说每一个端起酒杯喊祝福的人的眼睛和面孔都是良善的，就有不少人在妒忌和心怀恨意地诅咒，另一部分人可能站在道德的制高点上把玩或声讨那对不甚般配但又确实满心快乐的夫妻。

到了这种程度，再看看这场豪华婚礼的闹剧真的是否值得？简直像场恶梦，有那么多奇奇怪怪的眼睛看着你和居心叵测地思索着你。要说为了深刻的记忆，凌晨两点穿着婚纱两个人围着五环跑一圈或直接步行到天津累个半死，是不是更刺激更有纪念意义更记忆深刻？

咱心中最浪漫最诗意最让人缅怀的婚礼是三毛散文中写的她自己的：穿件普通的衣裙，戴了一顶帽子，然后跑到厨房拿了一把香菜别在帽沿上，出去挽在老公的胳膊上到沙漠深处转一圈……

这是我心中的经典。将来结婚不这样也决不把自己敞露在众目睽睽各色目光中，被妒忌、叹息、愤怒、嘲笑、模仿和把玩。

半途到卫生间还和新娘的不怎么高兴的千金偶遇了。她冷冷地看着我。

"听说是你鼓动我老妈结婚的？"

"你妈很年轻，不该结婚吗？"

"那人也太年轻了，根本不配！"

"你妈很有魅力，配得上更年轻的。"

"我老妈……"

"称呼没超过50岁的女士为'老妈'，简直是罪过！"

"我老妈！"她报复似的喊了一声。

不理她。小屁孩。

"我妈这样就幸福？"

"看着她的脸就知道。"

"不知道丢人几个钱似的！"

"我也有相同的感觉，谁听了你的话估计都会有这种感觉！"

"你什么意思？"

"没意思。"

"没意思是什么意思？"

"没意思就是没意思。"

"她为什么非要结婚？"

"她是一个女人，需要有女人正常的感觉！"

"什么是女人正常的感觉？"

"完整地拥有一个男人和拥有自己的生活！"

这就是第一代独生子女的德行啊？自私自利得可以。是不是课本和老师只告诉她们爱党爱国，从没告诉过她们作为人，有生存的内外需要和情感需求吗？

"有了那个小白脸，她以后不用爱我了！"

"我看是爱你太多到了物极必反的地步。现在最好扪心自问一下，你爱过你妈吗？除了把她当作保姆、佣人、厨娘、清洁工和痛哭流涕时大喊大叫的出气筒，更多时候她根本就不能称之为女人。你们这些缺乏良知的寄生虫简直就不配来到世上生活！"

32

经常诅咒北京的道路，随意得像拉链似的，今天你拉开埋一段管道，明天他拉开塞一截线路，后天再拉开拿走点什么东东……幸亏这是路，要是谁的肚皮肯定玩残玩死了。就不能几个职能部门商量好，一次把事情办利索办齐全了？挖出来的泥土往那儿一堆大风一吹，不是祸国殃民么？

咱就是不能承认咱开车的技术差，与那些驾车三年的马路杀手和刚出炉的飞驰凶器比起来，咱驾车也算不上文静和省心，但从来没刳过人和蹭过人，也没下雨天溅过谁一身泥水。就冲这几点也理应获得和平和爱心奖章。

周一早上起晚了，一路气急败坏地往公司赶，上周刚讲过不能迟到，自己得以身作则不是！一路上车那个多，让人惊恐地想起电视上一群群逆

流而上争着去产卵的大马哈鱼，三百多万汽车恐怕都挤到大街上排队了，
心里不由自主地着急、冒火。

突然直直的大道前面出现了禁行标志和施工围墙，也随着别人急转
弯到了偏道，前面突然出现了大片空白，立即下意识地伸脚踩了油门，就
"噌"地一下，前面一个大土堆，咱就蹲上去下不来了。而其他车辆还在
按部就班地拐弯抹角，慢行，没一个如此倒霉又丢人现眼的！

火大呀，又发动了几下车子，跳将下来，对笑话咱的好事的过路车厉
害了几句，激愤地找来施工负责人，让他给咱搬下去。

那位仁兄过来一看，肚皮都快笑破了，直说自古华山一条道，咱可真
高明。末了，讲：找个开车技术好点的给磨出来，或干脆找个拖车拖吧。

咱可不想在此耗时间让人看笑话，车暂时不要了，爱怎么着怎么着
吧，得去上班，眼不见为净！

刚跑向一辆出租车，斜刺里杀出一辆堆满破烂的平板车，被一辆牛
B哄哄的奔驰挤没了方向，蹬车的小老头也明显缺乏力挽狂澜的勇气和技
术，结果车子半翻，卡在了那里，一堆瓶瓶罐罐的破烂稀里哗啦砸中了咱
的腿和脚，而那开大奔的傻B还在朝这边挤。小老头很可怜，满面愁苦与
无奈，不敢维权的样子。

咱可不想受这种窝囊气，妈妈的，你开大奔你就横你就了不起啊？冲
老头嚷了几句，直奔奔驰，狠狠地踢了它两脚。

奔驰就地停下来，下来一个还算文静的中年男人，个头还挺高，手里
拿着手机，盖子还没翻下来，一看便是刚才在通电话。

"你开的什么车啊？会开吗？开哪里去了？"又踹了车两脚。

那男人慌忙绕过来，很心疼的样子，"哎呀，不是故意的，对不起
啊！请您别踹车了，踹我两脚吧，新车啊！"

咱指指咱那辆抛锚的本田（何一个丢人现眼了得！），只要能给开
出来，可以不计前嫌了。那人挺仗义，还挺能耐的，走过去，左突右晃一
阵，还真把车子给倒出来了。不好意思，还得感谢他。千恩万谢后，一上

119

车，心情出奇地愉快，像捡了便宜似的。慢慢地绕着工地一圈，又回到刚才那个拐弯抹角的地方。不能倒车加塞儿，那车太多了，加不进去，也没人让你。那样求人还不如多花两分钟绕过来重新排队。

鬼使神差似的，没有更好的词可以形容了，简直就是中了邪！咱他妈妈的就是不知道怎么回事，又"嗖"一声蹲在了那个破土堆上！想想都气歪了鼻子，丢人现眼也没这个丢法的。什么也甭说了，弃车扬长而去吧。

回到公司就有找点什么摔摔的破坏欲望，一个土堆上栽倒两次，说出来笑掉人家大牙。

脑袋都气晕了，摸着熟悉的电话打过去。

"对，就是那个破地方，车开不了，你想想办法去开过来吧。"

"糊涂了吧？我在上海怎么开啊？多大的拐弯还犯这种低级错误，真够笨……"

不能解决问题还说我笨，顶讨厌！

忽又想起唐大志来，以前那么得罪人家，怎么没想起今天来？

"大志啊，麻烦你，我的破车赖在那个三角地带没法走了！"

"耶，能耐！我说你们女人脑袋是不够使还是怎么的啊？三天前小娜陷进去就上不来，今天你上去就下不来，眼睛长那么大都怎么回事啊？"

"说吧，帮不帮吧？"一副缠上他的样子。

"我在深圳出差啊……"

砰挂上电话，你他妈如此的遥远还如此多的废话，找抽呢！

对，咱就是不说自己笨，越是这种糟糕时刻越不能随便说。

末了，雷伊说："我给你开回来吧，晚上请我喝一杯就行了。"

喝一杯小意思。

估计他刚踏上电梯，就有人打来电话，"陈一珊吗？你的车在楼下，可完整地交给你了，出来看一眼吧。"

咱都快跌破眼镜了，打开窗子，看见楼下停车场里咱完好的车，移魂大法一掌给打过来似的。旁边站着一个中年男人在打电话。

"请问仁兄您哪位啊？"

"李林的同事。他说他爱人的车有了点麻烦，让我给弄回来。"

"谢谢啊！"

"没关系，小事一桩。"

楼下，雷伊惊讶地站住了，接过那人递过来的钥匙。

老天爷，咱的车钥匙——竟一直挂在了车上！

33

还记得那个妇科医生周家正吗？以为他不会与咱联系了，上次见面聊得多寒碜露骨啊，也把咱作为一个大龄女人的嚣张、尖刻、顽固、无聊、张牙舞爪和目空一切表演得一清二楚，栩栩如生。俺爸俺妈都受不了，别说抱着浪漫幻想而来的陌生男人了。因此咱从没抱有再交往下去的想象，现在在底层社会挣扎又面容娇好的年轻女孩一街一街的，成本小还有过日子的诚心，只有神经病才不对咱逃之夭夭。

121

铁证一点的是，周家正决不是神经病或脑子进了水，可能是异类吧，因此他又给俺打了电话，而此时俺差点想不起他是谁来了。

"一珊吗？我姓周……"

"周总您好！您那报价啊，明天就出来了，您稍等一下……"

"什么……"

"周总，这样，这两天有没有空啊？我去你那里，或者你到我公司来……"妈妈的，这种暗示还不够明白啊！？

电话那边困顿而木讷，"什么事啊……"

"有关我们所有关心的问题，你的和我的，你那里人多不方便……"这才觉得不对劲，一个什么世面没见过的工程部总经理咋就听不出弦外之音啊？怎么可能！突然意识到搞错后立马尖着牙厉声质问："你谁谁啊？怎么回事？搞什么搞！"

那边怯怯地小声，"我是××医院周家正啊。"

勃然大怒之余，砰地挂了电话，三次深呼吸后，又拨过去——什么破机号，与客户的只差两个数字——劈头盖脸地骂："你这人缩头缩脑怎么一点也不爽利啊！贼眉鼠目、浑浑噩噩谁知道你谁谁啊？！顶讨厌！有什么事说吧！"

那边反而一阵沉默，然后，"哦，你挺忙的，改天再说吧。"

在他撂下之前，咱先砰地挂断了。什么人呐，不知心里有多笑话咱的势利呢，瞧刚才"周总""周总"的那个亲切！恼羞成怒之余恨不得去踢他一顿！

刚说去沏杯茶喝，手机又响了，是老爸的小灵通，传来老妈一脸不高兴的声音："珊，怎么回事啊？谁踩你的猫爪子啦？刚才怎么与小周医生说话的啊？"

"哦，这么快……你和他在一起？"

"哼，我让你爸装肚子疼到医院里看看他，装着碰巧的样子遇见他。人家正请我和你爸吃午饭呢！我就催着他给你打个电话一起过来吃……"

哇哇，有这样想姑爷想得心急火燎的老妈吗？禁不住朝她吼："甭管我的事，有一杆子没一杆子地打什么枣啊！怎么油里盐里你都掺和啊！"

"你、你、你不是和人家挺对眼的吗？又不对了？真是……真是，家里养个了祸害，还不是怕你老闺女了嫁不出去！"老妈也急了。

"呵呵，皇帝的女儿也愁嫁？你省省吧，哪里有树阴哪里喝茶凉快去，不知丢人现眼几个钱似的！"

哇，不得了，老妈跳脚，"臭丫头片子，你知道丢人现眼几个钱吗？我的老脸早让你给丢光了！你尽管睁开小眼睛四周瞧瞧看看，谁家人像咱啊？过得没着没落有今无明的！你不嫌丢人我都嫌！能挣二两钱你丫就四蹄朝天了不起啊？逮住你我劈头盖脸打你一顿……"

把电话扔到桌子上，活动足了脖子又拿起来听，却听到老爸在喂喂地叫："珊啊，别跟你妈一般见识，她自己上公交车回家了。"

"知道了，你也回吧。"

"都一起出来了，怎么着也得和小周吃顿饭吧……"

"你付钱吧，不要欠人情。"

"我看小伙子不错……"

"不错的多了去了，一串一串的，可你就一个闺女啊！真是的，昨天还说你好呢！"

那天晚上没有回家，一个人在大街上游荡，路过天安门广场时依然感觉到自己的渺小，渺小得令人气愤。天空拉了数不清的网，不知不觉中你的脸形、眼神、意识、身高等等都被分割得支离破碎、扭曲模糊，回头看看身边来来往往的人，抱着各自奇形怪状又飘忽不定的灵魂和孱弱病变的心脏，像潮水一样，聚来又散去。

我们都像海里的鱼，看似自在又不自在，名义上被赋予了广阔的水域，灵魂却穿在了麻绳上，在太阳底下无情又无奈地暴晒。四周则充满了行尸走肉的腐臭，连苍蝇都比我们活得轻松自由。

123

我不想回家，不想撞进渔网里去，不想最后变成一只干巴巴毫无特质的鱼干，像垃圾那样被推进五千年的文明史里，然后慢慢烂掉，归于烟尘。

上帝啊，你已给予生命，请再赐予勇气和智慧，让一条鱼上岸，不求美丽，不求永生，只要片刻的轻松和安宁。

寂寥星空，谁在远处缥缈地歌唱：

我的生命如晨星，
摇摇曳曳划破夜空，
远处传来敲钟声，
敲不醒我沉迷远方的梦。

云端以下，水面之上，游荡着一双无着落的眼睛，

请给我风，给我自由，给我勇气，给我安宁，

让我从容消失在空气里，

像一颗真正的流星。

没有寂寞，没有安慰，

只一颗晨星的自在和不自在，

在空气里，在黑夜里，在水里，在意识中……

34

雷伊说他又陷入了爱河，说时一脸真诚的蜜糖样，让人怀疑一个月前他是如何痛哭流涕地热爱和缅怀已渐行渐远的前妻，难道那一切都是如同感冒一样的骗局？和一个女人共同生活了十几年，并且养育了好几个孩子的生活痕迹怎么可能在一个月的时间内荡然无存？只能说法国男人太现实了，现实得可怕，若换成中国男人，恐怕没有一年半载或三年五年根本翻不了身。也说明中国女人改造自己的男人太彻底了，把对方勒得像藤一样，一旦撤去支撑，便一时半会直立不起来，恢复不了元气。

"你爱的女孩——能称之为女孩吗——是谁啊？我认不认识？"

"在酒吧里认识的，你不认识。很漂亮，很性感。"

咱一向对西方男人的审美观不敢苟同，大概和一只猪差不多吧。单眼皮、三角眼、粗糙的黑皮肤是他们所钟情和敬仰的。但不可否认的是这些相貌平平的女人大都智商高得吓死人，一不留神还能拿出一些绝活，让只认外表的低劣国产男人白白丧失了一部分高端资源的选择权。从这个角度讲，西方男人就聪明理性得多，战术上有点小失误，战略上绝对正确。

"性感我相信——被你成功骗上床了？"

年轻的老头耸耸肩，掩饰不住得意，"是她骗我上床的。她年轻，活泼，大方，优雅，是我遇到的最好的。"

"你这么老了——恕我直言，她为什么要骗你？你们互相认定对方是心灵伴侣？呃，呵呵。"

没有什么不好意思的，这个圆滑世故的老头完全能从咱不怀好意的眼神中看出咱想说什么，鄙视和嘲笑什么。他也不隐瞒，直截了当地说："人各有所需，她希望我带她离开中国，到高福利自由的欧洲。很多年轻的女孩子都有这个想法。我也许是她通往西方社会的跳板，我本人非常清楚这是怎么一回事。不过我也老了，你叫我老头，意味着我的选择也有限。"

"哦，老哥，你很诚实呀，真好。"

"不管她看上我什么，关键是我也有看上她的地方。其实我很高兴我还有利用价值。"这话说得非常诚恳，不过他的眼神，那种讨厌的眼神——他就那样微笑着看着咱，那种优雅的自信和自命不凡，忽然间刺痛着我的面部神经——唉，咱可怜的过于敏感的自尊心呀！

"唉，中国人多到灾难的地步，快养不了了。一部分人向高端区域——不见得更先进，也不见得更文明，只是高端——和强势文化地带靠近是很正常的现象。中国人太温和有礼了，他们只能选择以上床和婚姻等低调被动的方式走进西方。记得一二百年前，法国人来中国时是开着军舰扛着机枪耀武扬威来的。不知你觉得强盗恶棍和妓女的面目谁更可憎？强盗是正大光明地抢杀掠夺，妓女只不过挣你几个小钱，然后到你一亩三分地里见识一下世面，你觉得你帮一个，哦，是身体交换了一个妓女，或是正经人家的良家妇女，这种优越就能到骨头里？"

雷伊勃然变色，"你说她是妓女？"

"我说她是良家妇女！"

"不要无限上纲上线好不好？"

"哪用上纲上线啊，事情明摆着谁不清楚？以上帝的出身，他可能是个恶棍，是个流氓无赖，是个暴徒或富人，但决不可能是个软弱可欺的穷人；他可能良善，可能深明大义，可能慈悲和聪慧，但也绝对拥有邪恶的本质，若不然世界不会如此鸡飞狗跳乱糟糟的。连上帝都如此德行，你我还用说吗？我就认为中国若干年后得到世界上扫荡一下，行乞的灵魂得有一次本质的突变，如果做不到，一百年后你再来扫荡中国！"

雷伊愤愤地翻着白眼，随即笑了起来（有点理解不了西方人的表情），"估计西方人不会——我是指欧洲，不会轻易再做出一百多年来'丢失'欧洲的蠢事了。欧洲是自由、爱和人权的发源地，为了'人'的利益不惜和上帝对抗。此观念已深入人心，不会轻易再有战争了，法国人厌恶战争，欧洲人也是。"

"只有大恶之后，才有大善。中国显得很幼稚，缺乏这种大是大非的洗礼。受害者和施恶者有本质的不同，前者得到的只是教训，后者的良知是忏悔。我们失去的不同，得到的也不会相同，不要试图用你的真理同化我，这样太不公平了。"

就整个世界上来看，中国文化也许和法国文化最有相近之处，一样的源远流长，一样的博大丰富，一样的自鸣得意，一样的拥有傲慢的守护和追随者，谈起话来容易引经据典，喋喋不休。

但我们的差别仍然很大，大过我们的面貌差异。

晚上回家看光碟，从雷伊那里借的。那厮和我的口味几乎一样，爱着羡慕着关注着时下的美女苏菲·玛索。男人爱美女大概是性心理激发和催促的，女人爱美女就有具体的理由，就说苏菲吧，除了致命的脸蛋和时常表现出的迷茫迷离的眼神，最显著的就是其东方元素：柔软的黑发，白皙的皮肤，鸭蛋脸，苗条单薄的身材，还有那种各种困境中表现出的无所适从，至少觉得离自己有点近。

比起好莱坞动辄人高马大能踢死一头牛的有头无脑的美女，比起中国动不动硬撅撅傲慢得头顶上长眼睛的美女，法国美女显得精致、优雅、温情（有时也有点神经），性欲勃勃的让人喜欢，一切那么恰到好处，让男人想念，让女人羡慕。

但法国电影有时让人看不懂，尤其是喜剧，可能太法国化了吧，搞笑的片断让人不能会心，而雷伊和让可能会笑得满地打滚。相反好莱坞的片子，无论何种类型，虽有简单到脑残的倾向，好在一直坚持放之全球皆行得通的最低"人性之真理、自由、平等，对美好的追求，对邪恶的惩罚"，煽乎得有声有色，就是变态也一眼看上去就是变态，不觉得有什么古怪、隔阂和想不明白的隐喻。恐怕这也是法国电影小众化、好莱坞大众化的原因吧。

　　至于中国电影，咱现在发扬君子的浩然正气，不想骂人，不想声讨里面神神叨叨讲了些不知所以的东西，不想以"今天的善恶标准放十天之后准掉价"的话语去讥讽它，也不想探讨它美与丑的间隔都让人起鸡皮疙瘩之类以至谎话连篇的大官话，只想哀求：除了小脚、屁股、乱伦和精光光的臂膀外，还能不能有点放之四海皆准的普世精神？好在这一时期的香港、台湾的电影也可以代表中国，不至于整个丑得没法看。

35

　　天体运动据说在欧洲风靡很久了，光着白花花屁股的男男女女，扯下羞耻和道德的面具，在特定区域里熟视无睹地晒晒太阳，谈笑风生什么的，想想就兴奋，一个字：爽！

　　从人类的起源上看，裸体可是咱们最原始的权力和道德标准，衣料和丝绸都是后来的好事者逐渐给裹上的。仅从这一点上就看出蕴藏在人群中的恶意破坏力，大家精光光的多好啊，洗澡和做爱方便又不长痱子不捂暗疮的，那些偷窥狂也没有了吧，看呀，看呀你，满大街是晃来晃去的臀部和走来走去的美女，你有毛病啊！

　　每天清晨懒洋洋地赖床五分钟时也怀念原始社会一片光溜溜的美好时光，若不是衣服宠坏了敏感至极的皮肤，恐怕现在身上还毛茸茸的像京叭狗吧，不仅内裤乳罩里三套外三套地麻烦，脸也不用洗了，吧唧吧唧跑去上班就是了，放眼长安街，全是毛球似的玩具狗啊，染得五颜六色，比什么皮尔·卡丹范思哲有趣有意义得多。

有一天醒来，把想裸奔的想法跟辉辉说了。时下三五年的间隔就可能形成代沟现象，跟老妈说，说不定会惹来高声叫骂，强制拉到神经科看医生；要是给李林说，不是置之不理就是冷冰冰地威胁：分手吧，丢不起那人！

只有辉辉小俊脸理解咱，一本正经地说："要裸就正大光明地裸；奔嘛，暂时还找不到那么大的场地。领你去个地方吧，见识一下这方面的先驱。"

还以为他说的是公共澡堂或清华大学的跳水馆，穿着三点式也不行啊，俺就想一丝不挂！

"不挂就不挂，跟我走就是了。"

辉辉的人大校园里有不少来自欧洲澳洲北美的同学，那些人与各大使馆和在中国做生意的商人联系紧密，一些自家的秘密风气也漂洋过海带来了。其中一个德国人在怀柔的长城脚下置了房产，中式院落巨大，在一个人造水塘边上铺了从海边运来的白色细沙，一到周末阳光充沛的时候，忽啦啦几大排光着白腚的男女一顺溜儿躺在那里反过去正过来地曝晒，场面蔚为壮观。

以前可没听说过这种地方，都在小圈子里安静地流传着，要不是辉辉这个灵通的中间人，恐怕会永远错过那种画面对感官的刺激。

刚进大门时还遇到了点小麻烦，看样子保密挺严的。多亏了辉辉的好人缘，把我好歹弄进去了。迎面走来一对人高马大的白人男女，真的是一丝不、不、不挂啊！（妈妈的，在心里就结巴了），撞得咱的眼球叮叮咣咣地响，那女人上下纤细的小黄毛并不显难看，只是生育过的乳房不够坚挺，布袋似的垂下来，摇荡着。

这样盯着人家看也忒显无礼了，在人家气咻咻的瞪眼之前，经验丰富的辉辉把咱拖到更衣室去了。俺趴在门后边笑够了，马上三下五除二上下扯了个精光光，光着脚丫子往外跑，妈妈的，大家都一样，有什么稀罕，笑话别人还不像笑话你自己一样！不过可不能像那些咸鱼一样曝晒自己的身体，人家皮肤白，斑点多，晒成棕色掩盖雀斑，再说特白的肤色也显得病态嘛。中国人皮肤里的黑色素更容易沉淀，再加上中国的阳光每年成色都那么好，哪用晒啊，往树阴和花伞下挤还来不及！

咱就在一串不认识的花体德文的大花伞下与两个同样不舍得晒的中国男人和三个女人躺成一排，奇怪的是既没那么想入非非了，也不觉得可笑了。哦，群裸还有消除人性中流氓意识的功效呢，奇了！可能是以毒攻毒吧，曾经非常想窥视别人的私处，竟然一霎间平凡得跟小脚指头一样，不想看第三眼来。是不是人们千百年来没事故意把某些部位包起来，故意搞得神秘莫测？如果把小腿和耳朵包起来从不轻易示人，这三个地方若干年后会不会也变成人体中最性感最令人向往和抚摸的"私处"？

呵呵，看看我们的性道德是多么无聊至极吧，拿到太阳底下晒一下就云开雾散了。那些穿了一层又一层裤子的男人和女人不是一直觉得对方神秘吗？大家都脱掉短裤互看就行了，哪需要故作高深的教科书和神神道道的伪道士们再啰哩啰嗦呀，本来很简单明了的事，生生给大动干戈弄复杂化了。

129

Ai—t！对着伞后的阳光打了个喷嚏，终于摸到人性中七情六欲的密码了，原来人的身体可以负担这么少，可以这么纯净，可以这么简洁简单，可以这么光溜溜挂不住任何装饰和真理！

36

王佳的快餐工程总算告一段落了。照她妈妈的话说，亲戚朋友都快得罪光了，不管人家乐不乐意，大中午大半夜的开着宝马把盒饭给人家送到门口了，二十块一盒，虽不贵，但是标准的强买强卖呀！开始人家还不好意思说，到后来一看堆积的一星期也吃不完，才循序渐进地向家长告起状来：你们家佳佳那是做生意吗？宰熟啊！欺负人也没这么个欺负法的，一个月天天米饭、西红柿炒鸡蛋和鱼，毫不变样，胃哪能受得了！求您别再这么虐待我们全家老老少少了，咱换换口味，吃一次炸酱面来块咸菜疙瘩行不？价钱照付！

意识到事情的严重性，王佳妈妈和老伴商议：得了，别让佳佳给咱家抹黑了，这老脸都让她给丢光了！我天天帮她动刀子动锅的做饭，累得腰疼，连你姐姐都说咱教女无方，也连带着说饭菜极差，品味恶劣。这可是我亲自下锅炒的呀！

王伯谦老古怪也无招了，阴着脸对独生女儿说：盒饭咱就先到此为止，但也不能像养猪一样养着你，从今天起，马克在语言学院学中文，你就到外国语大学学德语，平时互相帮助，互相改进，共同进退。到马克毕业时，你最好也把德语说得像点样！

王佳臭丫别看平时对老妈腻腻歪歪撒娇弄痴的无赖样，但对老爸却是从不顶嘴的受气包，特爱走的路线就是转过屁股来纠缠住心肠软的老妈向老爸施加压力，还往往奏效。所以才有了像现在对什么都有恃无恐等着过一段时间再咸鱼翻身的迟钝样。

谁不说王老爷子为人聪明呢，觉得咱可以成为王佳效仿的对象，有事没事地叫上咱去他家里玩，有一搭没一搭地指桑骂槐。王佳特气愤，特地私下约法三章：进了她家门，能傻就傻，能蠢就蠢，最好显得粗俗没文化！

呵呵，好啊，呆头呆脑、骗吃骗喝和胡说八道是咱最偏爱的角色了，像猪一样，脑筋都不用动。包括人类在内，哪种动物能活得像猪一样成功的？智商一般，却天天肥头大耳，且永远不必为食物发愁。

上周去时，老爷子私下无可奈何地说："我百年之后，指望佳佳接班是不行了，她是死活扶不上正道的。现在只能栽培马克了，幸亏马克是德国人，不是英国或美国人，为人还算诚实、厚道、低调。唯一的缺点还是不能了解中国的世故人情，起码不像你我这样熟悉，也担心将来哪一天他和佳佳互相厌倦了，婚姻走到了尽头，分道扬镳……"

老头子的担心很有预见性也很实际，当他若干年辞世后，马克掌控了庞大的家业，且地位稳固后，一脚踹了佳佳不是在天之灵不能瞑目么！

在这种问题上，不能带有感情色彩和良好愿望，理性、现实或冷酷一点都是可行的。

"老爷子，你不妨在遗嘱——恕我直言——规定得严谨和苛刻一些，所有的家产都给王佳和她的孩子，马克只有参与管理权，而且这种权力与他的婚姻挂钩，也与王佳的质疑联动。这种事上您不必顾虑爱情这东西，说白了就是一场华丽的冒险，和跑龙套差不多，像天上的风筝一样不可确定。别看他们现在腻腻歪歪，好得不得了，说不定哪一天这根线"咔嚓"一下，说断就断了。没有了感情，婚姻也就不用提了吧，房子里家具、床、桌子、人气统统没有了，还要这破屋子干吗？佳佳是您的宝贝疙瘩，娇生惯养得不会抢，不会骗，不会偷，不会哄，自然也不会强硬和坚持，说白了就是生存能力脆弱（很想说：说白了就是生存能力低下！），所以老爷子您一定把事情计划周密，安排妥当。这年头，相信爱情还不如相信一只流浪狗，相信婚姻还不如相信铁丝笼。给您讲一个故事吧，你一定也有所耳闻，在美国啊，有一家规模相当庞大的报社，它的老板可是花了大半辈子心血辛辛苦苦建立起来的，也是没有儿子，只一个闺女吧，老了之后便把家业传给闺女。这闺女啊，和咱家佳佳差不多，平素不喜上班，不喜公司事务，更没心思像她老爸那样亲自打理公司，于是管理权就一直掌握在驸马爷手里。按说这公主驸马的小日子也是相当不错的，一起生活了几十年，生儿育女的，生了好几个，按常理说这种家庭也该超级稳固，两人也该白头偕老了吧，谁知驸马都老成那样了，偶然的机会又与一年轻的女记者之类的对上眼了，要死要活地与老婆离婚，还言之凿凿地让老婆放弃对报业的管理权什么的。您看那，这哪是哪呀，整个家产可是人家老爸打下来的，自己管理了几十年就误以为是自己的私有财产了。幸亏公主死到临头幡然悔悟，都一把年纪的老太太了还亲自出马掌控并不熟悉的公司。还不赖，那家大报在她一个生手手里竟奇迹般地变得更好更有竞

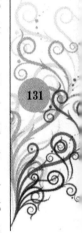

131

争力了。她的老公与那个女记者的婚姻果然像被诅咒的那样没撑多久，又过不下去了，他还觉得自己离开财富离开岳父大人公司的平台有多大魅力似的，于是又痛哭流涕请求前妻原谅，想重回家庭，被拒绝，后自杀了事。"

讲完了，王伯谦沉默。俺也沉默。忽然觉得这种话题太沉重了，有打桩埋地雷之嫌，便谎说帮伯母搭把手做饭，跑出去了。

客厅里王佳臭丫在当老师教马克中文，马克在摇头晃脑地唱绕口令："扁担别板凳，板凳别扁担，扁担别在板凳上，板凳不让扁担别在板凳上，扁担非要别在板凳上……"

听到最后，只听"板蛋""板蛋"的。

笑够了，王佳一脸骄傲地说："马克中文终于赛过大山了，不信你考考。"

132

学一年多中文也敢吹牛？咱不信，当即问他："大姨的老妈，老妈就是老娘，该叫她什么呀？"

马克斯懒洋洋的，胸有成竹的架势，"大姨妈！"

"呵呵，这也叫好啊！应该把你所有的中文老师都拉来痛扁一顿！不知道，诚实一点也就是了，还串辈！你乖乖回到语言学校再念个五六七八年不等吧。"

王佳显然回过味来了，猛地拍马克："上周还带你去看望了我小姨，你说我小姨的妈妈，也就是我妈妈的妈妈该称呼什么？你竟敢喊我姥姥为大姨妈！"

37

今年夏天的气温又创新高了，气象台遮遮掩掩着说才39℃。妈妈的，这谎撒的得动大刑扇耳光，睁着两眼说瞎话也不觉得寒碜，以为全国人民都傻瓜都弱智啊！太阳自打露面就念咒语似的要把亚洲这块地上的人蒸熟吃了，北京城更是包子锅的第一层，深居大陆性气候的位置便很少清爽的季风吹到这里，加上城里城外绿化极差，宽阔的柏油马路和到处高楼上的石墙像高效的热能转换器，不到十二点就可以到楼顶或长安街地面上摊鸡蛋饼吃了。

人家说，确切地是老爸说过，法律规定气温高过一定程度，人再工作就对健康有害了，可以合法地放假，待在家里休息。看这法律多人道呀，妈妈的，非人为地打了折扣，小民俺热晕了好几次，敷着冰块也得去上班！电视台这种传声筒恐怕给报高了，让GDP受损失（所以俺去医院打针拿药，也在为GDP数字做贡献呢）。站在大街上，正常感觉得有45℃吧，皮肤里的汗腺都成摆设了，人只有张开嘴巴像狗那样呼出气体以维持呼吸系统的运转。汽车也像热晕了的千年神龟，趴在那里学蜗牛，半天动不了一个车位。很多司机都睡着了，从几个开着的车窗里传来一拨一拨的呼噜声，甚是香甜。在这样的时间、地点开车是标准的脑筋坏了。因此咱骂骂咧咧奔赴公交站。

大概大家的脾气都不好了吧，公交司机更像拿了免死牌似的，以为开坦克呢，七扭八撞的，嚣张得厉害。

咱穿着高跟鞋，又顾及包包里八千多块请客按摩的现金，没敢太超前，但也就慢了半步，肮脏又傲慢的车门便"哐"一声冷着脸关上了，接着司机就像进火葬场看娘似的在窄窄的通道里拼命往前挤。

车又没满，干吗不让咱上啊？搞歧视？性别？种族？文化？反智？

咱不甘心，踩着小尖跟鞋蹭蹭地追："师傅！师傅！师傅等等我！"

车没停，只见一个好事的乘客从窗户里探出头来，"八戒，你就别追了！"

气得咱当场狂吐血！恨不得把司机蠢驴和卖票的臭娘们揪下来下锅煮着吃了！妈的，用纳税钱养着你们，你们竟搞不清自己是谁了！有这么无耻的么？

晚上回到家，唉，该倒霉了，喝口凉水又塞牙了。不是天热么，用了

133

好几年的空调制冷效果没那么好了，咱也不是有意装孝顺，就给家里换了一个新的，就是在电视上一个劲地狂吹的那一家。结果刚装上二十分钟就开始漏大水，恶性的，雨帘似的，生生把楼下张三老婆那件可以拿出去四处炫耀的低胸排扣小短裙给糟践了。那婆娘那叫厉害，拿着证物跑到咱家门口急吼吼地索赔。

老妈很没道理地说："你那裙子用料太少，也太短，不穿就不穿吧，你家小张也不喜欢呢。"

那女人气势很嚣张，"喊，不是我妈也管我！管得着吗？有空管管你家一珊的屁股都让布片遮掩了没有？！"

哇，这话让老爸老妈痛苦了很久，我的屁股成了他们唯一的软肋和痛处。说不过人家，老妈几乎是气急败坏地给我打电话，直埋怨我换空调换来了祸害。旧的不去新的不来，新的也未必那么好。

咱正坐在某商场边试鞋子边打盹呢，根本没打算回家，自己有房子了，愿什么时候回就什么时候回，房子是用来等人的，不是人等它。

老妈只需一声召唤，咱就像听话的狗一样颠儿颠儿地跑回家——儿子有这样的敬业精神吗？从那臭婆娘手里夺过红旗似的漂亮裙子，踩在脚底下，掏出七张票子，不就是原价800打了8.5折的吗？像裹了个床单似的，谁稀罕这种不堪入目的品味！小题大做的邻居悻悻走了。老妈心疼得哆嗦，直说给的也忒多了，在自家门口就做冤大头，还做销售的呢，脑子都做糊涂了！

看看，这就是好人做好事散财消灾的下场！一点也不懂精神胜利法和品行高尚的好处——品行不高尚吗？物超所值地赔给人家，咱就觉得从物价指数上讲咱挺高尚的，还有优越感。妈妈的，你再喊再骂啊！

老妈老爸忙不迭地用水桶水盆放在空调下面接水。咱把那件破裙子丢进垃圾袋里，然后给空调厂家驻京公司打电话。那边还算客气地说：今天太晚了，明天派人过去修。

"为什么现在不来？我家一夜之间给大水冲了怎么办？"

"你用盆接着点啊。"

"我家穷，没那么多盆啊！"

"有钱买空调没钱买盆啊？您真逗！要不，你去邻居家借个？"

"天可怜见，我连邻居都没有！"

"呃？"里面很惊讶，"什么？不会吧？搞这么差！？"

"呵呵，我再差也差不过你们啊！你们赚着我的钱还推三阻四，还把我的邻里关系定性为'差'，还有比你们更差劲更无耻更不应该让舅舅疼姥姥爱的吗？！看你的电话号码应该离我家不太远，一个小时内把维修工或桶盆什么的送过来，泡了我家木地板就等着打官司吧，我本人就是律师，正想找你们董事长的碴让你们吹嘘到天上的品牌和整天胡说八道的广告降落到楼顶上呢！别说我没告诉你！"

还别说，四十分钟后就有人骑着摩托在楼下喊："谁家要的水桶啊？四个够了么？"

老爸老妈一生多付出，少收入，没怎么被人关照过，一看人家辛辛苦苦送来了三块钱一只的一摞塑料水桶，那个感恩戴德唯唯诺诺啊，下辈子还买人家空调！

135

晚上没回自己的住处，在自己以前的房间里，刚说不怎么热了吧，可水桶绵延不绝的滴答声也让人神经发狂，要是真是律师，要不要再告他们一条神经迫害赔偿费啊？

实在受不了了，蹭蹭跑到客厅，赫然见老妈正在灯光下对那件已扔进垃圾袋里的二手裙子宝贝似的左看右看，透过灯光看纹路。

"不是扔了吗？干吗呀？"

老妈禁不住啧啧两声，"这也叫衣服啊？只能在家里穿穿，哪能出门啊？屁股沟子都看得见，也忒贵了。"

哎呀，脑袋又不行了，得洗个凉水澡去。还是在浴缸里泡着舒服，什么烦心事窝心事闹心事统统想不起来了。就那么容易睡着了，翻了个身的功夫脑袋歪水里了，差点呛一口，气急败坏地上来，看到衣架上挂着去年还是前年扔了的丝料睡裙，追翠花时不小心剐了一个好大的洞，现在怎么干干净净在眼前晃呢？拿过来一看，洞那个地方给细细的针脚缝上了，淡蓝的睡裙镶了个红红的大补丁，很有创意嘛。

用手指头挑着到客厅，勤劳的老妈已经睡去了，沙发里摆着老爸灰色的秋裤和老妈米黄色的内裤，都无一例外地贴上了醒目的红补丁。

老妈还振振有词说："二三百块一尺的贵补丁嘛！又不穿出去，谁笑话谁啊？"

行了行了，脑袋又大了。第二天上班时把那件带着昂贵补丁的睡衣扔到公司前面的垃圾箱里，有本事再捡回去吧。

至于那台空调，修过了，哪里也没坏，质量也过关，只是粗心的安装工把水管接错了。怎么像一个金坠子让一条破尼龙绳拴着挂在脖子上啊？从此俺也就不买那家没有经营头脑、没有责任心、跑了全程的马拉松却不肯再轻易迈一步就跨过线的空调了，让朋友也不要买。

38

周末李林又来北京了。不在你眼前晃来晃去时，这人看起来也金贵多了，也可能从孟辉辉那里收心了，觉得老情人出奇地亲切，有魅力，像失而复得一样。

李林却又干出一件让俺跌下眼镜的事来，竟拿出一份在上海某地段购房合同来，赫然罗列了我们俩的名字，总价一百多万，每月按揭三四千，偿还30年。

"干吗写我的名字？本该是你的私有财产，不怕我不够厚道随时提出来分你一半？"

老实人李林同志说："算我提前送你的生日礼物。你看购房这种百年一遇的大事我还是想着你的，足够说明我的诚心诚意了。你人心不足蛇吞象提出分一半，也没办法啊，割肉割得我恼羞成怒时，估计才能真正下决心离开你。随你怎么做吧。"

咱bei一声巨响亲在他左脸蛋上，"干吗呀，说的像真的似的，越来越不学好了！"

"再来。"他得寸进尺，又把右脸蛋子凑上来。

又bei一声巨响。"我可没准备还贷，一分多余的钱也没有。咱也买房了，二居，算是有房的人了。"

"没说让你还啊，我正准备兼个职呢，多挣些钱没那么大的压力。以后你多去那边陪我一下就行了。"

"你这人也真是，干吗买这么大的？一居够你住的也就行了，一步到位早了点，多累啊！我们四十岁时还差不多。好在人民币从长期看是一路贬的，就这样当牛做马给银行和房地产业做贡献吧。"

"你就等着升值吧。"

"升值？没有比这个行业的泡沫更大的了，哪天一场感冒袭来，忽啦啦倒下去一大片，升值就小菜菜了，该是升天啦。好吧，但愿这房子是金子做的吧。"

那晚又是疯狂的床上运动。忽然觉得做爱是男人与女人互相想念相互讨好的唯一说得过去的理由，至于生孩子、遗传基因、营造生活情趣等等，拉倒吧，哪有这么多高贵理想，还不是身体这个白痴在进化中得到的暗示过多，时不时要求大脑把空白支票兑现一下，满足自己的完美幻想——你看两种生殖器结合在一起，无论外表还是功能不都很完美吗？

至于李林的那套房，咱得说他很白痴，干吗相信我有良知啊？咱自己都不赌。又没有婚姻的绳索拴着，只要发生，铁定是哑巴亏！

幸亏咱这人还算厚道，也从不打算占这种便宜。做人，良知只是一种底线，量化出入的标准。现在这个时候不合适，哪天时间和气氛都合适了，拉着他去公证处公证一下：房子里里外外全是他的，我只有个名誉拥有权。如此而已。

还有，为了奖励他这种无私的共享精神，咱还特地跑到商场买了一块价值不菲的浪琴。广告上写着：精品男人的选择。

李林算不算精品男人先不管，制造浪琴的材质可都是精品吧。

哦，和咱的抗拒姿态不同，人家打开精致的包装盒，看了看，兴高采烈地套在腕子上了，把旧的放进了兜里。

"还没谢谢我！"

"呵呵，还用谢啊？谢谢。"

"有点诚意好不好？花了我三万多！"

"好的亲爱的，谢谢！"他凑上来亲了一下左腮帮子。

"右边。要响的。"

他又狠狠啄了右腮帮子，bei一声响。

哼哼，这年头还有理所当然的事啊！

有了像点样的手表，勤快的人就更爱表现了，动不动就袖子一撸，挥着亮闪闪表壳的大胳膊干粗活，修水管，擦天花板上的灯管，把床从东北角拉到西南角，然后奏响锅碗瓢盆交响曲。

有时看到他忙忙碌碌的身影就想，要是保持这样的效率，就去北边圈几亩地，准备上砖石，每个周末过来添砖添瓦，不用两年，自家别墅就能住上了，还省了施工费。都怪国家小心眼和心术不正，只卖给某一部分人，咱这等小民不卖，妒忌个人过上好日子。

"珊，我还不错吧，干了这又干那的，做人关键是知足常乐。"

"不错，只可惜了你老妈，乖儿子培养出来了，跑到别人家里服务去了。"

"你不觉得——运气好吗？"

"好，当然好，不承认我就显得不够诚实了。"

"一辈子这样干干活也是不错的吧，你只需站在边上诚心诚意说句'谢谢'，就ok了。"

呵呵，咱不知道当时出于什么心态，就听到自己在冷漠地打击他，"没事你还是出去再找一个吧。我们偶尔这样聚聚还挺新鲜，若每天都这样我会发疯的。发了疯的我和你可不是好玩的，像别人在纱窗后面上演的那样：死掐，咒骂，为点鸡毛蒜皮争得鼻青脸肿……对不起，我，我好像很脆弱，没有勇气面对真实而琐碎的生活。那种马拉松长跑会让我们在无聊的困顿中筋疲力尽——躲在一个女人的裙子下面生活，你是不是活的不耐烦了？"

李林用那种双臂抱胸的乖孩子姿态看着咱，"我觉得你还没长大。"

"胡说！我已三十了。"

"那么，你的思想有问题。"

"胡说八道，你的脑袋才有毛病！"

"我记得你说过你……你……爱我，在那个下雨的夜晚，我刚从'阴间'返回，在帮你修车。刚过了半年，你又变成这德行了。"

"亲爱的别后悔，碰上我这样的，你该多倒霉啊！"咱过去拥抱他以示安慰，"你看我们这样也不错呀，彼此想念，彼此关心，相互把彼此摆在天字号第一位。"

"想念我？把我摆在天字号第一位？"

"别这么惊讶啊，阴个脸，笑个好不好？只要我想打男人的主意，你永远占据大拇哥的位置。只是俺平时太忙，想的孔方兄和阿堵物多一些嘛。"

这可是实情，在"钱财、享乐、自由"和"李林"四个选项中，李林同志无论如何也是进不了前三名的。这也是咱聪明和无耻的地方，把自认为最不可靠的变量放在最后，在比重占的少的情况下，你再兴风作浪也不会伤到咱的。不过他应该满意了，又没有男人与他竞争。

在李林走之前，又发生了一件值得一提的小事。周日早上咱得去公司加一上午班，恰好车子前几天一不留神撞着花坛护栏把左后灯撞裂了，让李林帮忙开到店里修。

李林老好人说屋里不是有辆摩托吗，送你到地铁口吧。当然好啊，于是有说有笑地下楼来，骑上摩托便走。刚到十字路口，红灯亮了，卡在那

139

儿，有警察叔叔在超级忙地瞎指挥。

也就那一刻，咱突然怒气冲顶，跳下摩托，指责开摩托的手脚太慢，是个顶没用的人。

在他惊讶地看过来时，气就更大了，"看什么看！没见过？菜烧的难吃不说，衣服也不会穿，你看看大街上谁像你穿的啊，超级儿童似的，丢死人了，没听说过人靠衣服马靠鞍呀！"

李林在众人难堪的目光中终于生气了，"怎么回事啊你！一阵一阵的，是不是真的神经有毛病啊！"

这下可炸锅了，咱大叫着冲上去推他，捶他，吼他，搡他，终于把警察叔叔给招来了。他很烦心地说："你俩怎么回事啊？想吵回家关起门来吵，在这儿捣什么乱！"

于是咱就哭哭啼啼骂骂咧咧地往回走，李林也气呼呼独自骑着摩托从身边开过去了。

回到家，咱一边补妆一边得意洋洋地对生气的他说："怎么样？刚才我的表演能不能拿金鸡奖？警察叔叔都信以为真了耶！"

李林有些糊涂，绝不是装出来的。

"我们可都没带头盔，不要以为大清早的人家会不注意，而且这一段路前一段时间刚禁止了摩托车行驶。更重要的我们都不想被弄进局子里挨批受教育，也不想丢了摩托车。这摩托是朋友的表弟正式比赛用的，暂时寄存在这里，比一般的小汽车都贵，不能出半点差错。没法子嘛，这是最低的成本了，也顺便让你见识一下我撒泼的天分。"

39

在报摊买《参考消息》时，看到一男性杂志上布拉德·皮特的脸，恍然有隔世之感，还是大学时代每次看到都怦然心动的偶像帅哥吗？讨厌的摄影师把镜头推得太近了，把帅哥四五十岁中年男人脸上的坑坑洼洼皮肤衰老的痕迹清晰地显现出来，粗劣，憔悴，不可思议地浮肿（发福了吧？），头发也像一把枯草，让人宁愿认为他刚起床或昨晚打了一宿麻将。与周围那些神采飞扬、脸色自然、色泽温润的年轻人比起来，你不能不信服于岁月的力量，它轻易摧残精美的东西像它曾经赋予那些精美东西的内涵一样让人无话可说。

偶像老了，老得像周润发一样，让人不忍再睹。一个自大狂妄的人，一个不甘落后的人，一个如咱这样顽固不自知的人，也许尽情藐视权威，鄙视厚道，看不上社会堆砌累积起来的某种惯性力量，甚至热衷于对男人指手画脚说三道四，但在岁月面前，却不得不低下执拗的头颅，乞求苍天让时间的脚步慢点，再慢点，不要让我苍老，不要让皱纹爬满我还算光洁的额头，不要在智慧真正光顾之前让一个女人老去！和脸上慢慢出现的鱼尾纹比起来，我宁愿不要优雅、美丽、从容，只求它们不要来！

与漂亮比起来，年轻更是一笔不可复得的珍贵财富，恍然之间就把这笔与生俱来的资本支取的差不多了，而不见本该换来的其他东西，账户上有一笔值得骄傲的巨款财富吗？没有。脑袋里储备了足够支付一生的智慧和大量可借鉴的人生经验了吗？远没有。发现新大陆了吗？没发现。往新大陆的航道试探过吗？所有的得到和失去折算一下蚀本了吗？后半辈子得到某种资金和智力保障了吗？如果统统没有，天啊，我在三十岁之前都干了些什么呀！

141

咱可以活到全国的平均寿命72岁，也可以活到60岁，50岁，看看还有几年的奔头？心凉半截啊！

唉，收拾收拾，该怎么过还是怎么过吧，大不了可以临时抱抱佛脚，自欺欺人地说还有来生后世可以指望；也可以一头栽进上帝的怀抱里，老家伙不也在莫须有的地方盖了一座天堂么！

唉，人在恐惧的时候，往往不自禁地乱七八糟地胡想瞎想，其实也没什么嘛，人家都不恐惧干吗我恐惧啊？难道大家都像我一样虚伪？平时一本正经，偶尔正视真相时吓得要死？！

下午王佳臭丫笑嘻嘻的声音传了过来，"老姐，到我家来，做了好吃的，不来我可吃光了！"

人怎么不是活啊，像王佳这样的整天吃喝玩乐，天真地追求男人和爱情，穷其一生，竟也过得悠哉游哉。这个世道，要么你稀里糊涂过得随意快活，把生活当作施展七情六欲的万花筒，要么你在真相面前沉静从容，在人性机关和沉默中微闭着警醒的眼睛，无奈地接受生命与生俱来的一切。

晚上下班后去她家。王伯伯老狐狸说要送王佳和马克去美国留学，当然他们得先去德国呆一阵子。

"为什么先去德国呆？"

"德国马克熟，佳子先预习锻炼一下。她缺乏看问题的多元视角，德国人的严谨秩序感对她散漫的性格有好处。"

"他们去美国读什么？"

"随便，喜欢什么念什么。我倒希望佳子念商科会计，将来和她妈妈一样。马克最好读MBA，他应该洞悉世界上管理公司最优化的工商业理念。"

"万一——美国是各种人才观念重塑的大熔炉，各种优秀的人扎堆在一起，有不可抗拒的诱惑，你不担心将来马克和王佳掰了？这样的例子太多了。"

"珊，我早知天命了，每年在看得见地变老，再有个10年吧，按正常程序就该退休了，不退也快老得干不动了。这种事上，命比人强，不能犯犟。至于佳子和马克将来怎样——从现在就可以赌一把，我押上的是几年以欧元或美元计算的学费而已，马克押的是他的忠诚和心口如一。即使将来我赌输了，他去追求更远大的前途去了，希望佳子那时变得能输得起和具有国际化视野的人，起码做到能和你一样坚强！这样在为人父上我也算够格了。"

老人说的真诚而动容，做老爸能做到俺父亲那样一点一滴沉默付出的，或做成像他这样运筹帷幄赌徒似的，真是不容易。王佳是这个富有、睿智而威严老人的唯一软肋吧？

"老爷子，你这样单独告诉我——您肯定还有什么话要说吧？"

"珊，你是佳子和马克的好朋友，你们常在一起叽叽咕咕个不停，你是最能了解他们动向的人，当糟糕的事情出现苗头时，不要让关心他们的父母最后一个知道。我可是参赌的一方，不要把我蒙在鼓里！我和你伯母就佳子一个独苗，从小就没教育好，现在管教也太晚了。我总是抱怨她为什么不能和你一样让人省心呢，你明白我的意思吗？"

"当然明白。"

"珊，你还年轻……"

"你说我还年轻？！"以老妈的口气我都算老太太了。

"我没从婚姻的角度。你还年轻，可做可尝试的事情还很多，就没考虑过到国外呆一两年？"

所以，有时你不得不佩服老狐狸的眼光。可能他手下海龟们给的启示吧。

143

"想啊，但不是现在，过两年吧，也许不是读学位，就到外面走一走看一看，换一换考虑问题的视角，丰富一下视野。"

"我可以给你担保。"

这叫什么？投资？不过我喜欢王伯谦这样聪明和有前瞻眼光的人。

出了书房，马克在客厅里看《中国一百个博物馆》那样精致长见识的电视讲解片，王佳和她妈和她家保姆在厨房里低一声高一声地说话。

"马克，你又要去国外留学了？"

乖孩子回答："是啊，岳父有意成全我们。"

"高不高兴？"

"当然，我一直羡慕美国那几所大学，现在终于可以无后顾之忧地去了。我很感谢我岳父。"

"王佳视为理所当然。"

"那是佳佳的想法。"

竟有幸运儿如马克的人，生于第一世界，享受到了公平、自由和某种程度的社会公正，一不留神跑到第三世界，又碰到了中国新兴的第一拨富翁，享受到了中国父母特有的溺爱和教育投资。同样是奋斗，有些人事半功倍，另一些人则事倍功半，不服都不行。

这个世界是公正的吗？仁者见仁，智者见智，即使将来马克脱离了王佳，其理由也必会振聋发聩：没有爱情了，人人都应该按自己的意愿找到真爱！

真理就这么他妈的操蛋！

40

还记得吴家敏那徐娘半老的富婆吗？这会儿她口气甜腻腻地说陪她逛逛街买件衣服吧。好啊，别说买衣服，就是吃饭聊天，游泳度假，该去也是要去的，谁叫她是客户呢！这一年三百六十五天，不知有多少日子是在吃喝玩乐中度过的，想想都累得要了命。

一身简洁打扮却烫了个星云大爆炸头型的大姐大差点让咱跌下眼镜来，小脸红扑扑湿润润的，滋润得苹果一样，身材也比前一阵子富态了，怎么看怎么像个充气娃娃。

"靓姐啊，怎么这样啊？你到了共产主义社会啦？"

吴家敏肥狗嫌骨头多地抱怨："这人哪，心情顺了，喝口凉水都疯长肉！你看我这，平时没事减啊减啊，看看，都赛施瓦辛格啦！"

哦，人家施瓦辛格老兄原来长一身肥膘啊？！

"看来还是有老公好，炒菜做饭拖地板，洗衣服，有人抢着干了，你是不是在家里往沙发上一躺只按遥控器看电视剧？"

吴家敏简直兴奋的不得了，"你不知道，我那小宝简直乖、懂事的不得了！不仅什么事不让我干，还把我侍候的女王似的，洗澡，搓背，揉肩，哇，那叫一舒服！跟你说啊，结婚可不要找个比你大的，比你还会享受，还会摆谱！就该着你侍候他似的。我看你那个小朋友就不错，眼界和手段不及你，自然事事要征求你的意见。一个事事征求你意见的男人要比事事自作主张的好多少倍！"

"你说辉辉啊？太年轻也不是好事，你不是在享受生活，而是帮他成长。这本是他老妈的工作，就讨厌自己越俎代庖。"

接下来我们到东方广场地下一层看了看，买了件亮色膨胀裙，穿上去花母牛似的。咱从心里觉得好笑，人家卖衣服的也不说话，可吴老姐一个劲自我感觉良好地说："好看吧？还行吧？我看挺好的！"

挺好的那就付钱吧，也不太贵，十张票子人家还找回来十几块。可对这种心情顺的土财主来说，一万块该买还是买的。

然后就到上面的茶座里继续聊。忽然想起了什么，叫了声，"问问晚上吃什么。"拿出手机拨了过去，"小宝啊，晚上怎么吃？咱们去吃韩国菜吧，和一珊一起。"

"不嘛，要吃麦当劳！"

现在手机像个扩音喇叭似的，五米开外也能听得一清二楚。

"乖，我们去吃韩国烤肉，麦当劳里都是垃圾食品……嗯……嗯，明天去麦肯家里吃鸡翅好不好？"然后bei一声空吻了一下，才恋恋不舍地关上手机。

外人不知道还以为在和幼儿园的小朋友通电话。

"哦，看你把你老公惯成什么样子，还以为你是幼儿园的阿姨呢！"

吴家敏得意地笑，"老公小嘛，不随他性子来会使小性子生气发脾气的。不过我也乐意这样，大家都高高兴兴的，有什么不好？"

"你老公小也和我差不多大吧？真是福气，还像个超级儿童似的吵吵嚷嚷着吃麦当劳、糖葫芦什么的，穿不穿带小熊图案的衣服啊？"

"你不说倒忘了，帮我看看男士服装，买什么样的合适呢？我家有四个大橱子，一人两个，里面全挂着衣服。快入秋了，再给小宝添几件。"

于是我们又去逛王府井步行街，见铺面大的店就进。

"不如买几件品质不错的名牌西装，六件，全一个样，清一水儿挂在他橱子里。衬衣若干，领带若干，随他穿去。"

吴阿姨坚决摇摇头，"按你的主意，前一阵子我到巴黎一下子给他捎回来八件相同型号的皮尔·卡丹，他都穿烦了，要换新的。"

男人真他妈的缺规矩，一件一辈子穿不烦，八件一会儿就烦了。

正左挑挑右拣拣，就听衣服架子后面有人说："宝宝，给你，吃巧克力吧。"

"不嘛，人家都快胖得没人要了！"

"瞎说，宝宝可不胖呢，就是胖点也好看呢。咱买什么样的衣服啊？"

"噢，你看着买吧……嗯，看这件行吗？"

"太黑了，还有骷髅图案，不吉利。"

"不嘛，我就喜欢海盗的颜色！"

"好吧好吧，买买！你看这件杏黄色也不错哦！"

"哇，太黄了吧？"

"穿上试试。"

一阵窸窸窣窣的声音过后。

"噢，天哪，我像个汽球！"

"嘻嘻，像个可爱的小粽子！宝宝像个棕子哦！好吧，像个汽球吧，咱把汽球买了。"

又过了一会儿，好像快出店铺门了，"宝宝，吃不吃雪糕？"

"不吃，不要把人家当小孩子似的嘛！"

"不当，不当，我们家宝宝才不是小孩子呢！宝宝，不要乱跑哦，小心给车撞着，驴踢着，抓着我的手，咱们要过马路了……"

急得咱追出去把脸贴在玻璃上往外看，大马路上，一个时尚的中年妇女正领着她一米八几的乖宝宝勾肩搭背地过马路。粗略结论：男，26；

女，46，婚史两载。

走回来，又看到吴家敏神气活现地给她家小宝打电话。

"小宝，吃巧克力吗？"

"不嘛，人家都吃烦了！"

"瞎说，这么快吃烦了啊？咱买什么样的衣服啊？"

"噢，你看着买吧。对了，黑色蝙蝠侠怎么样？"

"太黑了，那种动物不吉利。"

"不嘛，人家就喜欢蝙蝠侠！"

"好吧，好吧，买、买！还有一件杏黄色也不错哦。"

"杏黄？太黄了吧？"

"回家你穿上试试。"

"天哪，还不像个汽球！"

"嘻嘻，更像个小粽子！小宝要像个可爱的小粽子哦！好吧，像个汽球吧，咱把这汽球买了。"

过了一会儿，服务员把衣服包好了。

"宝宝，吃不吃雪糕？买一袋带回去给你放在冰箱里。"

"不吃了，不要把人家当小孩似的嘛！"

"不当不当，我们家小宝才不是小孩呢！小宝啊，不要乱跑哦，小心给狗咬着，猪踩着，我们一会儿过去接你，咱们去吃韩国烧烤……"

41

客户中有个山东活宝，生的粗眉大眼，性子也大大咧咧，乳是乳，胯是胯，虽早已过了二八年华，倒也不是个水桶腰外形，叫人想起了山东二妞——如果山东这地方出情人，那叫"二妞"恐怕是最具有地方特色也最拿得出手的，恐怕和北京的八旗子弟膀子爷、上海的旗袍女人白手套男人、广州的下午茶和果子狸是齐名的（不准轻视果子狸，人家好歹也是国家二级保护动物，还折腾过人人谈狸变色的sars。）。

可不要小瞧了人家齐鲁二妞，其背景也像举世闻名的黄河下游肥沃的土地和其深邃的历史长廊一样，地大物博，源远流长；哥哥和前夫都供职于政府要职肥职，长袖善舞之技不提也罢，提了也让小民俺妒忌得睡不着觉！人家手指缝里漏的都比得上咱累死累活干十年八载的。山东那地方向来也不是个不毛之地或穷山恶水的，富起个把人来还是当玩的。

好歹把二妞从山东劝到北京来，主要是玩的，想做人家的生意，花点钱搭点时间是必要的。和一般爱到国贸逛或到某个奢侈的商场狂跩的官太太不太一样的是，人家二妞指名道姓要去故宫博物馆、长城、北海等等有文化有品味的地方转转，最好还要有懂行的小生指点一二，回去也有个谈资——以前上述地方常来，都是走马观花，现在不观花了，改成了赏花。

看见了吧，并不是所有的富人都是粗俗无聊猪狗不如的。

敢情好啊，咱也跟着高雅一回。虽然得天独厚，每晚枕着长城入睡——对了，枕头现在扔到南边那头了，每晚脚丫子蹬着长城——其实对长城的了解还不如法国雷伊有尊敬和虔诚之心，他不仅去长城捡垃圾，还用DV拍回来每天研究欣赏。

辉辉此时派上了用场，叫他喊几个历史系的同学，当全职三陪，管吃喝住，每日每人150元，行不行？

辉辉早不是昔日吴家阿蒙，洞察了所有的商业秘密和人性阴暗，很正点地点来两名身材和相貌都入流的小阿弟——成熟的男人可以让女人倾倒迷醉，年轻英俊的男人却可以杀了女人！对不起，谋杀山东二妞的女人是、是、是孟辉辉。那个不拘小节的女人见了精致成瓷器、身材比例完美到量尺定做的小白脸后，竟突然关心起自己是否老？老到什么程度？皮肤还嫩不嫩？还到酒店的卫生间里补了妆，抹了点腮红。

好啊，自己不是很烦辉辉了么？把他当作一件昂贵的礼物拱手相让吧。一个地地道道的二手情人，培养成精后就舍不得脱手了。二手房二手车，一般价格都赶不上新的；二手情人，尤其是男人，价格恰恰相反，在四五十岁以内，和古董的行情相似，历练越深，眼界越高越有升值空间，等辉辉当了经济学家，有朝一日能呼风唤雨时，和周朝青铜方鼎有一拼了，挽在胳膊上，走到哪里都能震得住场。投资，放长线——这线也太长了，况且还指望别人给咱投资呢。不由分说要把辉辉祭出去，换回上千万的大订单。冲天一怒为蓝颜，谁爱冲就冲去吧。

第二天开着车到了长城边上，拣了个视野开阔的山坡摊开桌布，摆上准备好的野餐和葡萄酒啤酒什么的，一边闲吃一边荤荤素素地开聊，一边看着在眼前绕来绕去的青灰色燕山山脉，突然觉得秦始皇老哥真有公德心，做了好榜样，辛辛苦苦耗空了半个国库修的长城就是为了让今天的国家挣点小钱花花，很有远见哦！

山东二妞的热情过了头，与几个小白脸聊着聊着善心大发，让他们几个电话打过去，来了几个学生妞，是小白脸们的女朋友。妈妈的，不早说，反正帐篷带的不够，你们多余的就躺在岩石上睡吧，夜间让狼叼走你！

149

长城周围有狼吗？当然有，半夜三更，月朗星稀之时，空旷阴郁的山涧就有野狼断断续续的嚎叫，牙碜得两股战战。有两对儿钻进了咱的车里，至于怎么挤，怎么叠罗汉，随他们去。另一孤单小白脸一不留神钻进了二妞的帐篷里。本来么，想让辉辉过去的，咱倒了霉（听不懂就算了，行话，就是那个大姨妈又造访了），不是想让他们趁机相互认识兼亲近一下么。

辉辉小样儿不知眉眼高低，跟着二妞要舒服得多，又见世面又得钱，没准儿人家一高兴给几十万票子趁机到大洋对岸读洋文凭去，大学之类的在国内读没啥意思。要知道人家亲戚什么的都拿了绿卡卡呢！

身体不舒服，精神就差，往那儿一躺，竟呼呼进入了梦乡。醒来就听周围一片叽叽歪歪，能搞成对的基本上都进入正轨了，不知都带套了没？好像只有我们这个帐篷静悄悄。回头看看辉辉，小俊脸被刺激得圆睁了眼睛，憋着气，没两三个小时是睡不着的。

"干吗呢？"

"我要叫了！"

"叫什么呀？"

"他们叫，就咱们不叫，好像咱们没本事似的！"

哈哈，有趣有趣。"你叫吧，最好像狼一样，把他们都吓得射不了！"

于是辉辉在耳畔像只发情的猫似的，一波接一波地叫唤起来，有力盖所有人之势。估计偌大个燕山就这小块山坡热闹，一干人都到了发情期，此起彼伏，成熟得要破浆而出似的。

忽然之间，其他人都停息下来，只有辉辉一个人还在高调地哼哼唧唧，没完没了。估计别人都在认真听，循声幻想呢。咱也转过身认真看看他，这家伙双手攀着脚丫子还在使劲忽悠呢！

过了一小会儿，他像意识到了什么，翻个身趴下去，小声吃吃地笑起来。

妈妈的，没见过这么虚荣这么好玩的孩子。

余下的几天里，咱抽身而退，让辉辉陪着二妞逛着玩，还把宝贝车借给他，只要不开到桥下去，怎么都可以，反正眼不见为净。

三天后，辉辉的口气就变了，叫咱"姐姐"中，那种甜腻腻的成分不见了，公事公办的一本正经了。二妞征服了他。有着成年人生存智慧的辉辉应该看得清楚，二妞能给予的更多，也更宠爱他，更把他当回事。自从认识他，我给予过他什么呀？一直固执地认为在对等状态下不屑给他钱，但问题是：真的对等了吗？

不过还好，又给他找了个好主顾，不要中介费。

平心而论，这样离开辉辉咱也是有些难过的，时间长了，把他视为手中可调配的资源，资源一旦像水般被蒸发掉，也空落落的不是滋味。

我们之间到底有没有爱情成分？自私的我还是愿意承认中间有那么一点牵挂感觉的，像一根漂亮的羽毛在阳光下闪耀的光泽一样，恍然间会在记忆中闪现，然后有点伤感有点无奈地回忆曾经的样子。

辉辉，那个俊俏的大男孩就这样离开了我，像阳光下不见了自己的影子。有好几次，在夜幕降临时站在国贸桥附近的"爱情故事"酒吧门口恍然失神。

爱情故事，爱情故事，可不是，爱情本是一种故事。

辉辉被他的旧情人卖掉了，换来了一笔大订单。那是一笔很划算的交易。作为附加条件，也给过二妞建议：哪一天移情别恋了，或朝三暮四了，请不要折磨他，更不要鄙视他，给他一笔合理的分手费，把他送到大洋彼岸，给他重新崛起的机会。从我们手里出去的男人，他只能高贵，不能卑贱！

这是我们的身份！

42

八月底，王佳马克这对坏分子要去德国了，在那里呆若干时间，也就是把德国和欧洲逛个差不多了，就去北美。

人人平等？哪儿平等？就凭他们智商也就在地球人的平均线上，年纪轻轻就满世界地游历，而且不用担忧开销费用，就叫人着急。在程序不公正（起跑机会）和最后结果都不公正的国家里，你知道隐藏在社会角落和心底角落的巨大落差和由此产生的眼红程度吗？俺要进行此等的环球航行起码要等到四十岁，等到钱包鼓起来和心理危机消失之后。幸亏王家的发财主要是靠机会抓得巧和意志的决绝，而不是靠与政府关系的裙带和权力寻租，我才能和他们和平共处。

那天傍晚我们都到于小娜家新别墅门口的人工湖畔一边无烟烧烤一边道别。我，王佳，于小娜，马克和唐氏父子，就是那个一只手掂着小孩一只手往嘴巴里塞羊肉串的胖子。月亮没挂在天上，挂了也无所谓，反正有灯管照得亮如白昼，连邻居家最爱叫的狗也静悄悄望着我们。

突然间大家都无话可说，有点互不羡慕互相瞧不上又相互理解的意

151

味，没有谁是小孩子了，彼此的那点伎俩都心知肚明，输在起跑线上的，输在人际关系上的，输在智商上的，输在与权力阶层没瓜葛的，输在起步就把重心放错地儿的，谁也不抱怨讥讽了，好像那是本该如此的生存秩序似的。唐大志那种权力通羡慕我、王佳和马克吗？没必要，不会外语不会技术学历一般般却比谁都混得好这就是本事；德国普通人一到中国身价倍涨的马克羡慕整天累死累活的我和幕后通天的唐大志吗？未必，人家德国人的身份就够自我感觉良好了。就像当家庭主妇当出优越感的于小娜和不知天高地厚的王佳互不示好那样，我也是对谁谁也不屑的，妈妈的，看看，不依靠任何人我也活得挺好，并以此也生出若干优越感来。

塞饱肚子后，情绪才好了不少，看谁形象多少都有些正了，然后提议讲笑话，大家快要作鸟兽散——曲终人散——人走茶凉——扑腾着乱飞——鸡奔狗跑——统统不对，一锤定音为：为了前途，暂时作别，来日再论方长。

咱就看着马克一本正经的大白脸说："老马啊，当年你第一次到中国，正赶上端午节，俺老妈不惜工本用肉馅和米饭做了三十几个大粽子，有一半被爱才如命的我端到了公司分给大家吃。偏袒你，分你最多，5个吧，让你带回家晚上吃。第二天问你粽子味道如何，你一脸不是装出来的感激说：'great!要是最外边那一层叶子不那么硌牙的话，就更妙了！'我纳闷的是，那五只粽子外边一层富含维生素的叶子你都吃下去了么？既然要回去了，不要让我继续困惑了吧？"

在小娜两口子捂住嘴乐的当儿，王佳气恼地把给乐乐擦过口水的毛巾扔到咱头上，"你丫干吗专门欺负我家老实人马克呀！你那小样儿，我家马克才不像你愚蠢的无边无际呢！"

马克斯却一脸无辜地摆摆手，一口纯正的汉语："哪有的事儿？有这事儿吗？我忘了，除非你故意栽赃陷害！"

"嘁！连吃我家粽子的事儿也忘了！？跟着王佳就忘恩负义吧，千万别学好！"

　　王佳臭丫却扑腾着大眼睛打咱的坏主意。"你家的那只鹦鹉啊，又学会新段子了，推它的左脚会说：'亲爱的！'推它的右脚会说：'我爱你！'那天你为了向我显摆，两只脚一起往下推，以为它会甜言蜜语地说："亲爱的，我爱你！"哪知鹦鹉情急之中六亲不认：'你这个讨厌的坏东西，恶棍，想摔死老大我啊！'"

　　在别人挤眉弄眼和插科打诨中，咱觉得有点傻，什么什么呀，真有这档子事么？啤酒喝多了，有点想不起来了，反正自家那只坏鹦鹉多事是真的。嫌大志笑的太难看，很不满地看着他讨厌的大嘴巴。

　　"大志啊……"

　　"我们可没那么多糗事，别有事没事地编排我！"这边刚张嘴，他那边就抗议。

　　那不行，咱都成了"坏东西"和"恶棍"了，你干吗例外？

　　"大志啊，想当年你和小娜结婚时，你还是个英俊潇洒的翩翩青年——哎，说你是个英俊潇洒的翩翩青年呢！靠！（他在那儿大叫，扰乱视听，咱不得不提高调门）。在蜜月期间，有一次就喝高了，拿着竹竿要把月亮打下来当饼吃这一档子事儿咱就不提了。睡到半夜，白酒化作水，要排泄，但你天生胆小如什么，不敢独自去卫生间，磨磨叽叽要生如夏花的新娘子作陪，小娜说什么也不同意。你只好战战兢兢地自已去。两分钟不到你飞也似的跑回床，一巴掌拍醒小娜，结结巴巴而一本正经地说：'不好了，咱家闹鬼了，卫生间有鬼！我一开门，里面灯就自动亮！一离开一片漆黑，根本就没碰开关啊！'（众人在聚精会神听，小娜脖子探得最长）。新娘大叫一声就高声骂了起来，'该死的！你是不是又梦游把尿撒到冰箱里去了！！'"

　　行了，小娜两口子由大志带头向咱这边扔东西，皮鞋，拖鞋，纸团，奶瓶，尿片什么的。匆忙之间逃离，抓了一把肉串跑到邻居家护栏那边去了，坐在人家台阶上继续吃。那只馋得要命的狗在背后龇牙咧嘴，蠢蠢欲动，分给了它几串，互不干涉地消费。

153

烧烤那边几个人边吃，边喝，边聊，边笑。肯定在作践咱。坏蛋，有本事你当面说啊！晾够了，跑回去，报完仇似的，没人再搭理我了。那不行，还没说王佳呢，臭妮子，糗事一箩筐，能写成笑话大全了。王佳见我看她，翻白眼，"看什么看？没见过我这么俊的？！"

聪明的马克接过话头，"佳佳不会干坏事，也不会有意做错。这样吧，我来说前不久发生的事儿，你们就放过她吧。我父母从德国过来旅游，我和佳佳去机场接。佳佳一直很紧张，学了很久的见面话：How are you?已经说的很利落了。那天我们去了机场，见到我爸妈——老爸老妈，佳佳一不留神，脱口而出：How old are you？我老爸以为是中国人的习惯，竟很高兴地'我61岁'，我老妈马上说'我59岁'。我老爸又接着说'我大儿子33岁，第二个儿子马克你是知道的，最小的儿子才21岁。连汤米也5岁了。'汤米是我家的一只狗。这是我们的全部成员。我老爸就站在国际机场的大厅里高高兴兴把全家介绍了一遍，周围人都好奇地看过来他也毫不在乎。你们不知道，佳佳都快哭了。最令我意外的是老爸，让他停，他都停不住！"

真是有活宝气质的一家子，蛮可爱的哦。

那天晚上吃了太多羊肉串，喝了太多啤酒，听了这几个好玩的事儿，等明天后天羊肉和啤酒都消化掉时，几个人一不小心互相开罪时，也是可以明里讥讽背地里偷偷笑话的。

43

"《礼记》上说：少而无父者谓之孤，老而无子者谓之独，虽现在意思有点变了，不过咱们还是不要再孤独下去吧？"

说这话的竟是俺老爸，于是眼镜哐一声跌下来了。

"老爸求您了，两星期都没到您家来了，您的意思是这顿饭最好也不要吃了？"

老爸装模作样地咳嗽，"嘴巴用来吃饭，又不关耳朵的事，就不能等到我把话说完？"

"您就让幕后老妈站出来说话吧，还担心您精神传达不准确呢！"

于是桃红水晶帘子——这可是地道的假货，用手一摸就知道是劣质玻璃珠——那么一掀，像长安大戏院一样，重要旦角出场了，水袖（毛巾）快甩到咱脸上了。

老爸赶紧回头，"我可是努力了啊，你自己来吧。"

老妈微动朱唇——咱这边赶紧敲盘子敲碗，叮咣，叮咣咣，叮叮咣，替她暖场："司令常来又常往……"

老爸好这口，刚要接下来唱，其实方步都走两下了，要拍胸脯了，嘴巴张开也吸足气了，被老妈一句嘎嘣脆的"闭嘴你！"给生生顶了回去。老爸收拾一下，提起鸟笼招呼翠花："咱到楼下上酸菜去。"

忽然想起王佳臭狗丫揶揄咱的故事，不会鹦鹉大半年来真长本事见能耐了吧，连"亲爱的""我爱你"这种骚包话也说溜了？便拿着筷子从笼缝里逗弄它。

"你干吗呀？"老爸纳闷。

"它不会说'亲爱的'么？"

鸟一边躲避一边嚷"讨厌！讨厌！"

老妈在身后提高嗓门："珊，你知道你今年多大了么？"

"对不住您，不识数了，忘了多大。"

气得老妈过来掐咱，拧咱屁股上的肥肉，下手一点儿也不比小时候轻。

咱就逃到老爸身后，嬉皮笑脸地告状："看看，看看，像我这样的老实人到现在还继续受气！有些同志忒不像话了，黑白不分也就算了，还不听'党国'的话！脑袋大大地……大大地……坏……掉……大大地糊涂掉啦！"

老妈气得转身又拿擀面杖去了。她就会这一招。哼，咱还能拿鸡毛掸

155

子呢！不过在老爸要开门前咱也打算跟着拜拜了，惹不起，还躲不起吗？

"你别走啊！"老爸突然翻脸了。

"干吗我不能走啊？我是成年人了，宪法都保护我走路的自由！"然后大大白了一眼变势利了的老爷子，"就是进了人民大会堂，人家也得让走出来！"

"也让你走出去，你得先说清楚！"后面老妈在揪咱的裤子，都快揪掉了。真是的，也不嫌寒碜！

还没回头就看到平时吃水饺用的棒槌，不粗不细恰恰好，逮住抡个把人最有手感了。"你干吗呀？敢赤裸裸威胁中华人民共和国公民？"

老爸说："你抢我吧。"

"干吗抢你？抢了她再抢你！"

"我和老爸可属于社会公共财产，早不是你私有财产了！毁坏、处心积虑地毁坏公共财产可要负法律责任的！你、你不会真的吧？"

老爸也真是，干吗不丢掉鸟笼拉开啊！闺女不如鸟值钱？早晚得吃了它！

"你抢我吧！"老爸又说，"抢我两下能下得去手，出出气，抢她能舍得吗？"

"是啊是啊，你快抢老爸吧，还能打个不还手……"哈哈，总算把自己的裤子抢救下来，然后来个迅雷不及掩耳——比老妈身手快多了，劈手把擀面杖卸了过来，丢给一旁兴高采烈看热闹的翠花，小东西高兴地叼着摇着尾巴跑下楼去了。

"谢了老爸，谢谢你路见不平挺身相助！"咱抱住他老姜皮似的左右脸鸡啄米了两下，回头去找包，然后把散落的钥匙、手机收拾起来。"家里有个正义感十足的救火队员才能不乱成一锅粥，而且救火队员高风亮节的情操映照出周围的不足——主要是我的不足喽！"然后去大果盘里捡一个长相最顺溜的苹果。

老妈好像气糊涂了，征求老爸："没说我不好，对吧？"

老爸也好像糊涂了，不会讨好人了，"她在说她自己好，咱们不好。"

什么话！

咱满心不痛快地往楼下走——不是因为吵了架，而是没让吃饱！人真是越老越小气越不会办事，就不能等吃饱后再吵啊？也有心情。讨厌，还拽人家裤子！

老妈在后面一路追着，谨慎而眼巴巴地（出了她一亩三分地耶）"那……那个……医生，咱到底怎么办啊？就一直晾着？"

也不知当时怎么了，突然冷冷地，充满恶意地回头对老妈，"你就活该失望吧！那个妇科流氓铁定不合适了，我早看上了一个火葬场殡仪员，还是兼职烧锅炉的！"

难道仅仅她没让我吃饱？

倒车时，又把那个放得不够靠后的垃圾筒撞倒，叮叮哐哐滚到张家门前；提车时，又撞倒另一个，稀里哗啦滚到李家。真他妈的见鬼了！

老爸在后面举着鸟笼叫："珊，着什么急，回家吃了饭消了气再走……"

然后看到一向低调的老爸很气愤地向老妈吵了几句什么，然后两个人各自回去扶垃圾筒。

厌世的情绪即刻就来了，讨厌自己，讨厌家庭，讨厌大街，讨厌汽车，讨厌人与人之间复杂的社会关系，讨厌漫无边际的责任感，自己不舍得去撞树、撞墙、撞护栏，他妈的哪个醉鬼咋不冲上来！弄个植物人好歹活三个月完蛋好了！

停在麦当劳门口时，手机响了一下，是老爸的短信：珊，快回来，还没吃饭吧，我还没吃呢，一起吃！

一会儿，老妈又发了一条（她笨手拙脚地竟会发短信了？）：珊，回来吃吧，我去扭大秧歌去了。

To be or not to be? 得好好想想，幸亏刚才没干蠢事。

44

老妈说：你就光着吧，我们不管你了。

老妈还说：光着是光着，有个头疼脑热的也甭指望我们。

哈，指望你们？指望你们，黄花菜还不凉了！自从上次与妇科医生尴尬相见，数个月不联系，几乎忘了他长什么模样了。这样不声不响地彼此相忘，像从未相识过那样，还是顶不错的，不用遗憾，不用埋怨，不用受伤害，也不用指望，是世间最仁慈的了。

对了，他叫什么来着？噢，周家正，周恩来的周，居家男人的家，不正确的正。

忽然就有这么一天，小周打来电话，打到办公室来，恰好这边有个房地产公司的设计师在校正图纸，本来人家设计院都设计好了，为了节省点费用，开发商和材料商吵得脑仁儿疼。咱用左边的耳朵有一搭没一搭地听他说，大意是交往这么长时间了，彼此感觉说不上好，但很特别（哇，这词用得好！以后俺想说恶心、讨厌、受不了等等形容不好的关系时，都立志借用这个词），有必要再见面决定一下：接着交往还是到此为止？

可能感动于他的坦诚和他好听的男低音，违心地说了句："好吧，你安排吧。"

"今天中午一块儿吃午饭吧？我知道个好地方。"

"实在对不起，中午有个客户，已经说过请他了。"

"下午吧，我下午轮休，你下班可以直接找我。"

挂上电话后，有马上拨号向老妈嚷嚷的冲动：哼，咱又约会了！这下你高兴了吧！奖励给我200块！

中午吃了饭，下午便结伴去了设计院商议改图纸。想让图纸合法，怎么着也得得到设计师的认可啊。

设计院那帮知识分子喋喋不休起来也能把人烦死，认死理真是没法说，从天安门到国贸桥本来从东长安街穿过去就行了，他们非得往北走，走到北三环，然后再绕到东三环国贸，还振振有词地说国家规定要这么走，这样合法，其他捷径不合法，没有规矩不成方圆。妈妈的，每一步都那么难搞。

这种争执可以看作上午争吵的延续，不知不觉天晚了，把周家正的约会忘得干干净净。猛然想起来时，也不能脱身，打他手机，不在服务区。往公司打，下班了，只有江士侠还没走，让她火速赶到某某茶馆，可以说我心脏病发作了，遭绑架了，踏上地雷了，只要能把借口编得冠冕堂皇！

算了老妈，200块退给你吧，无功不受禄。

就这样过了几天，基本要遗忘的时候，恍然间江士侠容光焕发起来，小脸红扑扑的，眉眼含着笑。同事都哄笑她，"是不是又逮住某某帅哥了？"

这让咱立刻起疑，什么？妈妈的，不会巧合成该掐大腿的地步吧？于是中午吃饭时坐在了她对面。臭丫报之一个香甜妩媚的微笑。

"真有男朋友了？"

"刚刚……新鲜出炉。"

"帅吗？"

"我觉得蛮帅的。"丫一脸的骄傲。

"什么……职业？"

"你干吗？查户口？告诉你也无妨，医生，妇科大夫。"

妈妈的，怎么不会使筷子了，怎么不会夹菜了，怎么吃不到嘴里去了？只觉得肺里的气泡在膨胀。

"周家正？"

"是啊，你不想要的，你要扫地出门的，还有一个词叫什么来着？呃，你扔之如破鞋的。我拿过来一试，穿在脚上大小正合适。"

哦，丫脸上一点惭愧和感激的成色都没有。什么世道，明着抢啊！恍然间，那妇科医生的脸又英俊明媚起来。

159

"丫头你干吗？不是让你去应付一下的吗？怎么换主角了？我碗里的豆腐你也想吃两口？"不真不假的。真不起来，也假不下去。

"算了吧头儿，你就当做了一件功德无量的好事让给我吧。我们俩在一起比你们俩在一起有感觉，我们基本上是一见钟情呢。像我这样大大咧咧有点毛病的老姑娘是很向往一个心细本分如医生的男士的关怀的，不幸的是他对我也有相似的感觉，而且呢，我不讨厌他，不打击他，不躲避他，不用那种玩世不恭的眼神刺激他！"

"是他这样说我的？"很是愤愤不平，"见了他一定扁他！"

"算了头儿，你并不稀罕他，他只是一个妇科大夫而已，你不是有一个英俊的设计师吗？"

设计师是设计师，医生是医生，两者怎能相搅？但没好意思说出来。"怎么说你也是在挖我的墙角，而且十有八九就成功了！"

傻丫头在嘿嘿地笑，"二手的嘛，我还没嫌弃呢！"

"二手？呵呵，一次还没来得及使用过呢，可能还是个正儿八百的原装货！一不留神拣了个刚出厂的，包装盒还没拆呢，运气真是好到了极点！"

"哦，是吗？"对面的小坏蛋却像得了便宜还卖乖，"有什么好？笨手笨脚，不知要花多少力气调教呢！可能遇到我之后他才真正成熟吧！你不要他因为他还没自然成熟到你想要的标准。不过我要打算从现在开始除草、剪枝、浇水、施肥，然后收获果实。行吧头儿？"

妈妈的，你们都一锅煮了，还问我行不行！

"没什么，你们一对坏分子发展吧。你的心态比较好，没想不劳而获。不要顾及我，我的感受……很淡，暂时眼红你们。不过你们不要背后说我的坏话啊，只要哪天我的耳朵在莫名发烧时，一定会对你们不客气的！还有，你在最近两个月要出两个大订单，算把他赎买了回去！"

45

一个人恋爱往往影响一大片。江士侠就像一个导火索，很快燃起了星火燎原之势：法国人让在神气活现地追一个在国贸开内衣店的香港美女，雷伊早走出了离婚之痛，与一个年轻的女子打的火光四射；下面的四大金刚更是厉害，平时不显山不露水的，现在都忙着白天公司、晚上妻室，无头苍蝇似的。整个公司都立志两面开花，发了钱财发色财，风水轮流转，转到了人生得意须尽欢的顶峰态势。人在精神上涨时谈事儿也特别顺似的，你看人家，三下两下就手牵手成双成对了，好像发情期间谈情说爱不要钱似的。

只有咱，只剩下咱没人搭理了，对比之下更显人孤影单，该打折出售似的，弄得心情好烦啊！好灰啊！好丧气啊！为什么没人搭理咱！难道前几年感情透支尽了，现在是蓄势时期？不嘛，起码还能再玩二十年！到五十岁之后再蓄吧。没人理，便在办公室里打瞌睡，清醒了就工作，给客户打电话，累了再打个盹。越是烦心空虚的时候，工作效率竟出奇的高，不知不觉中把所有男性客户当成了正追求的情人，女性客户当成了情敌；咱情操高，对情敌也格外地好。

一天中午，吃过饭正预备打个小盹，大众情人秦小山歪歪扭扭跑进来了，这厮一脸沮丧，也不念"阳光打在我脸上"这种现代歪诗了。他歪在对面椅子上悲伤而深情地唱："我总在伤你的心，我总是很残忍……哎呀灰姑娘，我的灰姑娘……"

笑得咱大牙快掉下来了，"怎么了？你家灰姑娘出什么症了？"

这厮像神经病似的，什么话不说，吟唱着又出去了。

下午忘了因为什么事到楼下大厅里走了一趟，就见走廊一角里秦小山正情绪激昂地对一矮胖的保安说着什么："……哥们，我觉得你做得很有价值！高尚！我们应该为爱情付出我们能付出的一切！至于爱情怎么报答

161

就看它和她的良心了！起码我们问心无愧！"说完掏了一把票子塞给保安小哥，头也不回地到地下车库取车去客户那里了。

想起来了，这保安是近一周来轰轰烈烈地成为被注目的焦点，虽从偏远的甘肃农村来，穿得朴素简陋，吃得简单艰苦，挣得也就几百块钱，中学都未毕业，却从事着一项项具有争议且相当纯朴无私的好人好事：把每月的薪水嘴里省肚里挪节省下来供在上海上大学的女友念书！

听得咱的大牙又掉下来一颗，这年头还有如此纯洁的心灵和做美梦的蠢货啊！但竟有不少人支持他，还捐钱捐衣服什么的。对不起，咱不，只是觉得像开玩笑，或是闹剧什么的，瞧他那样朴实又无知、忠厚又无用的样子，怎么不存点钱给自己买件像样的衣服或给自己的教育投点资？初中毕业能干吗呀？一年下来节俭一下怎么也能学点技术什么的吧，修理工、电焊工什么的，一辈子也有个指望！呵，省吃俭用都孝敬给形迹可疑的女友了，供人家在上海念大学！不知哪根筋搭错了，想想都觉得可笑得厉害！不否认有吃水不忘挖井人的好女孩，但报恩也不一定会嫁给你！做什么春秋大梦，有个上大学的女友就像举着个胜利体面的旗帜似的，以为会怎么着，以为会怎么着呀？醒醒吧老弟，没有人这么可怜！还这么无知！上大学的女友为什么不勤工俭学啊？为什么不申请国家贷款？还好意思伸手接你的血汗钱，基本上也算无耻了！要说需要钱，你在乡下吃糠咽菜没任何生存保障的父母更需要接到你的救济！那么艰难的困境把你拉扯大还让你识了不少字，已经累到吐血了，你他妈装什么三孙子！

不理他，就是不理他！

所以当别人为那种扭曲的理想和不现实不理性的心态投去关怀惊叹的一瞥时，咱冷冰冰地转过头去，很不以为然。为爱情牺牲也没这个牺牲法，这是爱情吗？只是你的一厢情愿，打个赌：将来他们连上床的机会也没有。女大学生将来会留在城市，寻找她的乐园。小保安将来会在这个北方城市的最底层继续受苦受难，一辈子都会翻来覆去地咀嚼他年青时代悲伤的爱情故事。

当你无私的时候，爱情在做着很势利很无情的选择，你永远追不上它
的变化。

咱在等着秦小山，这厮一定有话要说。三天后的一天傍晚，下班了，
他才又晃荡到我的门口。

"说吧，等了很久了。"

这厮沉默地坐下来，"我女朋友要去美国念书。"

"你还有女朋友，嘴风够严的呀！"

他很烦心的样子，"以前她对我不怎么搭理，最近一年才热乎起
来。"

"她愿意走就走吧，别拉人家后腿，去美国留学是许多女孩子改变命
运的梦想。男子汉能屈能伸，不要破坏人家的美梦，把悲伤留给自己。"
咱多真诚啊。

"她想借我的钱。干了这么多年，累死累活的，我账户上也有半套房
子钱，不到二十万，她想借2万美金……"

咱收拾了东西，挎上包往外走。

163

"干吗呀，不就是想给你唠叨唠叨吗？真没劲！"

回头失望地看他，"你弱智，不屑跟你谈。我要是你就一口回绝
她！"

"可是我很在乎她！也一直认为爱情比金钱值银子！"

"她在乎你吗？她认为爱情比金钱值银子吗？在这个问题上我觉得她
比你聪明，她在利用你的血汗钱为她的教育，为她的前程投资。她能收获
什么很明显，你能得到什么回报你知道吗？"

咱又坐到了小白脸对面，看着对面英俊的脸在慢慢变凉。

"我认为……"

"不要你认为。男人永远在想着挣钱，想用财富证明自己的存在和
强大，而女人永远想着生存和活得更好，为了这种目标她们什么都做得出
来。这个社会正处在转折期，社会和个人都在想着如何弄到第一桶金，财

富可能需要以无耻的方式积累，尊严和良知也被过度扭曲了，而且我们大家被社会，被目前的社会体制压制得太久了，当身体和思想突然有空间释放时，可能忘记了美丑，忘记了良知，就是那种不顾一切的爆发和膨胀方式。如果你想借钱给她，那是你的事，可以用来证明你投资的眼光，可以证明你很有善心和情操高尚，但不要以爱情的名义。爱情太脆弱了，不能承受之重托，我怕你因此伤心，落下病根。"

对面在搔头皮，"本来呢，再挣几年钱，我也想去读个MBA呢。"

"对啊，这想法多正点啊！使自己升值永远比指望别人升值使自己更受益更有前途！你的这档子糊涂账你看着解决吧，反正我的立场很清晰，借鸡生蛋——这样说吧，如果我想自我更新一下，换换眼界，我不会求助于别人的钱，尤其是在爱情的幌子下，这让我有无耻的感觉。"

46

时常感觉焦虑，茫然回顾又往往不知所以。为什么不像已婚妇人那样表现出平和悠闲？反过来说她们为什么不把内心的焦虑表现出来？难道真不担心依靠老公活命的保险丝会在天长日久中熔断？她们凭什么这么自信？自信还是愚蠢？

本能告诉咱她们很愚蠢，像温吞水里的青蛙，容易在优良环境中变得盲目而麻木。当在闪念中一晃而过的青春和如露珠般单薄晶莹的年轻被阳光烤干之际，把腰身烤成麻花，面庞烤成丝麻之前，你的购买力和置换力最强大的那些年为将来走下坡路的日子挣到了些什么？女人不是活到四十岁就歇菜的，起码还有三四十年的岁月才是艰难的真正开始。

也许咱在四十岁时才考虑把自己嫁掉，或者要娶进来一个男人来分享生活、快乐或烦恼。之前的时光全留给自己。

四十岁之前，还有10年光辉岁月，打算认识和深交10个男人，最后留下来一个；赚进1000万，最好这个数；要一个孩子，或者要两个；然后拿着钱环游世界去——当然，如果愿意，在环游中可以孕育孩子；多学一些有益的教养，常打电话问候老爸老妈，兴许他们的人生经验真的有点用处；再拿出一点时间来倾听朋友们的忧伤和烦恼……

但咱现在该干吗呢？脑袋一空虚无起来，身体莫名其妙的蠢动便开始了。这种衔接真他妈的完美无缺。怎么办吧，孟辉辉送人了（这么久了连电话也不来一个，活活把他送入那么大的一个豪门！）；李林也像人间蒸发了一样，妈妈的，不给你打电话，看你给不给我打！惹烦了，打，也不接！

于是乎被闪在中间，没有人再慰问咱的精神和肉体上的快乐了?忽然想起唐大志那句可笑至极的话来：他在城内一棵树上唉声叹气地挂着，咱在城外一棵树上无聊至极地干挂着。竟十分有趣。有一种邪念上来，不行把丫的给做了？转而觉得不行，不是把死党的帽子染绿了吗？如果她告状告到家里去，这糗事闹大了，以后也不用做人了，更不用在这个城市里混了。

就有这么几天心烦意乱，满大街的人都得罪了咱似的，看谁谁不忿，有一点儿火星就要爆炸，尖牙利齿露在外面，弄得家里家外没一个敢惹。想想也是，还没到生理周期呢，掐指一算，还有好几天。

有一天晚上晃悠到"左岸风景"酒吧里，听着*what I do, I do for you*，禁不住泪流满面，想想，人的一生要是只有20年就好了，这么短的时间里能全心全意爱一个男人，偏偏又增加了三倍四倍的，空间大了，就想贪多无厌，就想要得更多，结果哪个都可能抓不住，更拎不清芝麻与西瓜的关系。

老板娘左梅优雅地坐到了对面。这是个漂亮又极具风情的女人，看她的脸蛋根本看不清是哪一个年龄层的，皮香肉滑的，那种保养真叫功力。

平时都是一回生二回熟的，发发牢骚，传达一下张家又短了李家又长了，讲讲时下流行的荤段子，就是那种事无巨细的芝麻粒型喝茶朋友。

"珊，干吗呢，丢了魂似的？"

"有没有感觉有一种……心理周期？我大概三四个月就有一次，连着好几天，心情特差，觉得自己什么都不是，游离于这个世界外，好像与一切没关联似的，很想寻短见，跳个沟寻个河什么的。"

对面咪咪地笑起来，罕见地露出了中年女人的妩媚浅酒窝。咱要是男人，一定不会让她跑了。

"干吗啊，别吓我，我可胆小！"随即又是那种浅笑，"不是累的吧？歇歇算了，没有女人像你这样干活的。你不干，地球照样转，不信你试试。"

咱突然恶毒地嘲笑她，"你老公好吗？没背着你干坏事吧？"

丫还是很风度地浅笑"干吗关心起他来了？整天各人忙各人的，我也搞不清他在干什么，反正也没看见闲着。"眼睛里的明媚还是在不易觉察中消了下去。

一个人影晃了一下，高高的个子，有点胖，径直走到吧台坐了下来。背影也很好看，见了几次了。

"厌倦了没？"

"有点木了。珊，觉得你现在也是一种活法，我后面卫生间的门上不知谁写了一句话：爱谁也不要爱男人，缺什么也不要缺爱情。虽矛盾，却很是那意思。"

哦，该我正儿八经看她了，"老姐啊，那可是至理名言，很多人只懂得一半。"

"想想就觉得……"她脸上有一种非恼非怒非愁苦非悲伤的那种无以形容的单一色。

"你老公出问题了？"

"结婚十年了，也是有点烦，想寻点刺激。"

咱清楚地听到自己笑出声来，"七年之痒？十年之痒？"

"我现在有点喜欢一个老同学，可惜他早就成了别人的老公。"

记得过去她就曾这样说过。很自然。有贼心无贼胆，自己又不能做主

似的。

"那人适合暗恋还是明恋？你适合暗恋，你老公也不错嘛。"

"对老公比较内疚。谁知道老公外面有没有情人，表面越正常的男人内里越不正常，不要轻易相信男人。"

哦，养尊处优的花瓶怎么了？

"找点事做就好了，像你现在经营个酒吧就不错。在老公还对你好的情况下，明目张胆地找情人有点像玩火。"

"是啊，平衡不了，心情才不好啊！不是三两天能过去的，好一段时间了，觉得近几年好倒霉！"她分明在叹气，像一枚鸡蛋不被马上敲碎吃掉就要变质坏掉的劲头。"珊，你公司里有没有好一点的男的……

"哎呀，别把战线拉这么长吧。我公司里的大都没劲，无聊又无趣的一帮人。想找点新鲜的很容易，家具旧了，扔出去换新的，像老公就不容易扔掉，不过也可换换啊。"说完这句话觉得心里舒坦了，头也不疼了胸也不闷了，全神贯注看着那个吧台灯光下男人的后背仔细听着她的反应，是或不。

结果她笑得一塌糊涂了，酒吧里的人几乎都看她，好像咱动了什么手脚似的。

算了，当咱胡说。什么贞节啊，都笑掉我大牙了。咱还有点不高兴呢。

她在桌子底下踢我，小心谨慎地，"玩真的？"

"交换一下使用权而已，彼此又没损失什么。兴许那一半比我们还兴高采烈呢！"

"你没结婚呢！"

"没结婚才舍得啊！没结的或结了七八年之后味同嚼蜡的都可以无怨无悔地拿出来交换了。"

看得出来她在认真地考虑，那种好看的光彩又上去了。"就我们俩？"

167

"多多益善啊。当然三四个是最好的，人太多了心不齐，容易泄密，容易出问题。最重要的，这人的老公得拿得出手才行，不能太高清顽固，不能太老，不能阳痿，不能性功能障碍，不能前列腺炎，不能胖成一堆脂肪肝似的，也不能瘦成排骨，硌死人！"

老板娘边笑边点头称是，"我这里有几个姐妹，她们个个闲得嘴里长草，也和我差不多，把婚姻啃到了鸡肋，肯定有人乐意尝试。"

咱递个眼色，对着那个后背，"那哥们干吗的？还不错。"

"一直在金融圈里混的，帮人家去香港上市融资的。"

"他老婆谁啊？有戏没？"

"看上他了啊？我打探打探吧。"

47

还记得昆山唐大志的那个项目吗？让下面的人跟着了，算未来的业绩，一个亮点太少，捕风捉影咱又到武汉转一圈，那里正在建大广场。跟踪建筑项目就是这样，跑得快不一定最后能赢，但起码抢个先机。先机抢多了，后面的赢面总归大一些。因此同行竞争对手也和咱一样，先机放在建筑设计院，那边大楼坑还没挖呢，你就得到设计图纸的人那里多了解情况：甲方是谁？背景如何？资金情况？等等。

那几天俺在各个设计院转了两三天，分批请了好几桌，有一个大项目脉络清晰地指向了银行。这好办，王佳爸不是银行人脉发达吗？得让王老爷子出马。养兵千日，用兵一时，俺平时对您家和您家千金那么好，本身就包含有投资成分，朋友你帮我我帮你才能成为朋友嘛。当然，下次您有事时咱也义不容辞。

然后又游游荡荡看遍了武汉三镇、吃遍了当地小吃，觉得武汉这地方好好经营，交通再搞得好一些，还真具有芝加哥的规模和潜力。然后唱着《真心英雄》风风火火地回来了。

　　回到自己的住处，洗了个热水澡，一点也不累不乏了，溜达着又去"左岸风景"了，想给老板娘左梅一个惊喜，问问事情办得怎么样了？有几个舍得拿出来愿意交换的？一想到这个问题就觉得自己实在英明，在征得同意后去睡别人的老公是多大的成就啊！比原子弹爆裂腾起的蘑菇云还震撼！别人的老公都睡了，还有什么不能干的？还有什么事能束缚住手脚的？

　　呵呵，别用那种无耻的样子谴责咱哦，这个社会本来就凹凸不平灰头土脸的，咱这一小件，基本上可以忽略不计。

　　一杯红葡萄下肚，心中不由自主升腾起睡遍北京所有已婚男士的念头，数字很壮观嘛，沾沾自喜起来，觉得自己真有点了不起，男人也不过那么回事，他要不愿意，就扇他，他要装孙子，就捶他，然后关起门打上麻醉针什么的，要不就在勃起和拿走一万块钱之间作出选择。哈哈，有一首歌这样唱的：我爱钱我爱钱，还爱男人一点点……

　　恍然间，一个厚重的身影一晃而过，半醉眼神中，那个充满诱惑和魅力的男人又坐在了隔了两排桌子的对面，英姿勃勃的神情，温厚的眼神，不是一流棒的身材气质却迷死人！一个让女人过目不忘的男人就得这样，稍微庄重高贵一些，让一般女人够不着攀不上的样子。无论男人还是女人对魅力的向往都是一样的，都有征服和占为己有的私心，哪怕一刻的激情。

169

　　就是他！妈妈的，不把他拉到床上来誓不为人！不就是一干金融的，利用信息不对称和动作过快的魔术手法到处圈钱，到处空手套白狼，干点倒卖人民币、美元、欧元股票或其他，也可以说是倒空卖空，没什么了不起。

　　给左梅打电话，丫臭婆娘干吗去了？搞没搞掂？不在服务区。继续打，通了，没人接。一会儿，有短信来，曰：正忙着，过会儿打过来。

　　干吗呢？床上运动？

　　悄悄向那人张望一眼，那人正与一个背影在聊着什么，一本正经的样子。早就说过，光线是含有某种能量的，阳光含热量，地球人都知道，但目光里也有成分不明的东东，你看过去，他就会知道。

你看，那人把目光看过来了吧，在三秒钟的停顿里，有若干反应可供选择：1. 受宠若惊(没见过世面的样子)；2. 纯情地浅笑一下（有点无耻）；3. 冷冷而高傲地扫过头（很出息的样子）；4. 矜持而尊贵地颔首（就是很优越地装孙子）；5. 羞赧地低下头（真正地纯情哦，可能被猎人捉去）。等等。很可惜，这里面的一个也没选，而是有些傲慢地端起杯子虚碰了一下，起身到吧台上坐着去了。

一会儿一个英国苍白着脸的小男生也坐了过来，要鸡尾酒，说一口荒野远郊的伦敦腔，猛一听有点印度阿三的口音。

"可以借你的打火机吗？"

英语中的打火机咱听不懂，他连着说了三遍，一遍比一遍慢，一遍比一遍清晰，咱无情地翻了他三次白眼。旁边一个在手提电脑上玩游戏的小白领马上翻出金山词霸，然后解释给咱听。

"没有。"我说。

还没说完，善解人意的酒保就把一盒样子古典的火柴扔过来了。小伙子皓齿一露，一个漂亮性感的英式微笑。妈妈的，帅呆了，是全世界最具杀伤力的，只不过面部轻轻一弹。

他拿火柴干吗呢？是烧断系了死扣的运动鞋的鞋带。

"烧断了怎么再系啊？"

"没办法，没系了。"

他用"没"，而想不起来用"不"。虽别别扭扭的汉语发音，总比广东人一本正经多了。

"幸亏鞋带和鞋子是可以胡乱配的。我有黑鞋带，颜色差不离，要不要？"

"太好了，谢谢！"回眸又是一个"温柔地杀我"式微笑。

晕！有点晕乎乎。

于是爱丁堡大学新生修学游的20岁的英国小男孩Tonny就这样被大他整10岁的北京光棍领回家，洗澡，按摩，做爱，睡眠，一气呵成到第二天小闹钟叮叮当当地发作。

咱把自己收拾得干净利落的样子，衣服大方简洁。特讨厌那种稀里哗啦的流苏和累赘装饰，仅挂了一件细细的铂金项链，不带坠的那种。在所有的贵重装饰品中，只喜欢项链，其他如耳环、戒指，手镯，觉得最啰嗦最令人讨厌的了，因此从来不买，从不羡慕人家。尤其觉得戒指最可笑，戴在手指上除了利于繁殖细菌等微生物和虚荣心外，几乎一无是处。

Tonny也在提他的牛仔裤，一副沉默寡言的样子，不知是汉语说不溜还是现代英国人天生这种德性，与舌头从不知道休息的法国人不太一样，没那么好玩的段子告诉你，与生性木讷的德国人有一拼。

"小汤？"

男孩回头看了一下。他正系仅剩下的那根鞋带。

"你看这屋子里哪段绳子可用，剪一段就行了。"

于是Tonny里里外外角角落落里认真地寻找，终于看中了晾衣房中咱那件从韩国买来的西服上衣上的精致而结实的带子。西服上衣没扣子，一边几个洞是用带子穿起来的，当时买就冲着这个新颖劲儿。

好吧，拿走就拿走吧，顶多那身衣服不要了，让老妈捐出去。

咱这边开始打电话查天气预报，听听几度，适合穿什么鞋子。脚老出汗，臭臭的，为这双讨厌的脚丫子配了每种度数不等的十双鞋子和二十双袜子。这功夫Tonny不见了，跑去看，这斯正在厨房里无师自通地煎鸡蛋，一副正经厨师的样子。

"我要两个爱哥，全熟的。"

鞋子穿周正了，坐在饭桌上，一张大白盘子端上来（哦，自家的盘子可以洗这么白这么干净啊？！），两个摊开的大鸡蛋重叠着，白白的底子倒是成固体了，但蛋黄是流体的。虽说生蛋也能喝，但这种半生不熟的怎么吃啊？

算了，苏格兰人讲究营养，让他全吃了吧。

"珊……"

"叫我珊？"

小俊孩瞪着一双像休·格兰特那样的小细眼。

"叫姐姐。"

"姐姐。"

"嘛事，说吧。"

"我想在这里找份工作，下个学期就走。"

"找什么工作啊？"

"没想好。"

"爱干什么啊？"

"什么都行。"

"喜欢酒吧吗？"

"喜欢。"

"爱唱歌吗？"

"爱唱。"

"会唱什么啊？"

"Beatles的我都会。"

"唱唱《黄色的潜水艇》。"

Tonny用筷子敲着盘子一板一眼地哼哼起来了。咱没听明白，但被镇住了。

马上给左岸风景的老板娘发短信，给她找了个披头士的后代加盟。Tonny也很兴奋，跃跃欲试。

"姐姐，真的行吗？"

"真的行，说不定你还能赚一笔学费呢。"

"我在哪儿睡呢？你这里可以吗？我发誓不打扰你休息。酒吧是晚上工作吧？我晚上上班，白天睡觉。"

咱认真地想了一下，"你要打扫房间，拖地板，把床罩洗了，垃圾倒了，明天再做早餐时我的那一份爱哥要全熟的。'全熟'的明白吗，这两个字你可以查查字典，ok？"

家里突然住进了一个汉语磕磕巴巴的小男生，怕生误会把电话线掐断了，怕李林犯神经不打手机，一个电话打进家里；也不想让老爸老妈知道，怕老人家心脏承受力不够，接受不了新人新事；也不打算让好朋友小娜这种长舌妇知道，非闹的全城都知道不可，好像咱私生活多糜烂多不检点似的。不就是暂时一个英国小情人嘛。

那天上午回了公司，收拾了一下，去王老爷子那里了，就是王佳的爸爸。老家伙朋友多，门路广，生意满世界做，一定黑道白道江南江北的都熟络，武汉那个大项目就是想通过他的道做做工作。以前不是说湖广一带吃得开吗？以前也说过有事尽管找他的嘛，现在事来了，帮过他家臭丫头那么多忙，不帮回来也太说不过去了吧！

王伯谦就是那种行事低调、从不把话往满了说的人，和咱这个国家枪打出头鸟嫉贤妒能的恶劣心态有关，越有本事越有能耐的人越缩手缩脚缩头乌龟似的，风头都让那种半瓶子水乱晃荡的半吊子抢走了，唬人唬的一愣一愣的，也不知道深浅了。

173

既然王老爷子答应帮着问一问，又不好意思跟自家老爷子似的撒娇弄痴非要问个成功的百分比来，只好作罢。心里却有点不服，要是忘到脑后了或嫌麻烦不帮，咱们的交情也只好到此为止了，养兵千日用兵一时，平时对你家那么好，可以看作是投资，现在连做个样子的姿态都没有，还有什么意思？朋友之间不就是你帮我我帮你的吗？走关系托门路又没什么好丢人的，做生意不都是这样的吗？

回到公司后，觉得保险系数还不够，又给吴家敏打电话，给山东二妞打电话，给神通广大的刘总打电话，给……打电话，给……打电话，只要能与武汉那边有点蛛丝马迹的，都打了电话。没给大志打，感觉那厮可能没那么远的触角。

晚上回到家，好累。里外看了看，哦，英国小男生干活可真是仔细到家了，旮旯角落都给抹过了，而且各就各位，没有串岗的现象。尤为可爱的是连卫生间里的马桶也给修好了，厨房里的水龙头也不滴答水了，英国真能培养出一流的工程师兼手工业者，细心又有敬业精神，瞧，有点小毛病的沙发也不咯吱咯吱地叫了。

本来想让小家伙睡地板或沙发的，算了，床闲着也是闲着，咱晚上用，他白天用吧。

哦，看看，床单也洗了，毛巾也洗了。跑到阳台上看，绳上挂的真叫多，吊带裙，牛仔短裤，臭袜子什么的。谁再说中国男人勤快，会做饭洗衣服，人家英国男人也一样，而且做了也不说！

48

"喂，左梅！哦，什么破信号？你的手机是不是该摔了？听见了没？"

"听见了听见了，在卫生间呢。手机刚才掉进杯子里了，刚刚捞出来，电吹风猛吹。正想试试效果如何，你来电话了。"

啥？掉进杯子里了？这么有能耐，怎么不掉进酒瓶子里去？

"在卫生间？什么姿态？"

"呵呵，光着屁股坐在马桶上，心情极好地听你打电话。电话无大碍。"

"那个什么怎么样了啊？这几天都到你的馆子里去，你也不露面，不会看着哪个帅哥对胃口，先下手了吧？告诉你我可不要你经手的二手货！"

"哈哈，什么呀，我经了手到你那里也是三手的了，咱们钓的可都是有妇之夫，说不定早是四手五手了！新鲜货色不好找了，现在小年轻从十五六岁就失身，二十来岁还不够成熟，这三十多岁的男人成色最好也最容易上手，四五手就四五手吧，是吧珊妹子？"

"你在家里的卫生间？你老公没在？"

"直娘贼狗丫的不知跑哪里野去了。不用理他，过够了，那种腻歪歪的感觉。"

"你可是给他在戴绿帽子！"

"我头上说不定早翠绿欲滴了呢！干吗呀珊丫，你什么时候又想往正人君子上靠？"

"提醒提醒你，省的你事后后悔得跳楼！"

"放心吧，大家都跳我也不跳，报报仇再说，我这是好人被逼上梁山，就像武松一样。"

"算了，别往脸上贴金了，还武松，你更像俊妞潘金莲！现在搞掂几个了？"

"算上你我一共四个，除了没见你男朋友，我们三个的半边天长得还算不错的，可能我老公差了点，其他两位都贼有面子！"

"不管怎么说我就对那个搞金融的帅哥感兴趣，这是内定了的，其他你们交换吧。我的那位你们也大可放心，不属于花瓶型男人，品味也是可以的，脾气更是极好，更珍贵的是绝对是二手的，而不是像你们甩出来的使用过度的五六七八手的！"

里面一声亢奋的笑，"若不然我内定你的吧，不就是搭上两张机票吗？万一人家帅哥也看上我，我可就跟着他过了，顶多也在上海拣个地方再开个酒吧，还可能从此鱼水交融于海派文化了呢！"

175

"哈哈，随你便吧，不是打击你，估计你捞不到产权。定个时间吧，大家都行动自由的时候，不要老吊大家的胃口吧。"

"初步是下周末，先把手头的活提前做完。"

"多长时间的使用权？一夜？三夜？一周？"

"噢，光兴奋了，忘了与她们谈时间了，回头定吧。"

挂了电话猛然想起那些男人的个人卫生问题，不会有很个性的很邋遢不爱洗澡洗脚之类的吧？与这样臭烘烘的男人上床也太可怕了。不过这样有一定使用频率的男人染上性病艾滋病的不会多，他们的老婆首先就要杀了他！

心存高远地看着窗外的天空，凉爽的秋风在楼间回荡。兴奋哦，觉得生活真是率真而美好，人一生只活到80年真他妈的太少了！

Ai—t！对着秋日骄阳美美地打了个喷嚏，想着在上海某个窗明几净的写字楼里严肃正经地审图或画图的建筑工程师李林同学，呵呵，某个不经意的夜晚会有个淫荡的女人打开房门包抄到他昏昏睡去的床上，他会惊艳还是拒绝？照单全收还是光着屁股逃出去？如果会是后者就太妙了，可真是个顶级男人！要是前者的话，也没什么了不起，不就是送上门的一夜情吗？

176

不过隐藏在内心深处的私有情绪隐隐显现出来，是的，有点舍不得他！人家拿出来的老公都是留之心烦弃之可惜的鸡肋式的人物，能翻出点花样就翻吧。咱可是还十分稀罕李林的，同一类型的汽车，行驶了五千公里和行驶了八万十万里程还是有巨大差异的。咱的基本上还是新的，交换出去让那帮吃骨头不吐渣的饥饿型老虎占了大便宜！不行，得把李林作为非交换品雪藏起来，换个人也是一样的。

换谁呢？不知为什么上司雷伊笑容可掬的巴黎老绅士脸闪现出来，不行把那个法国男人推出去，兴许他还挺高兴呢，又不用花一分钱。浪漫，深具异国情调，但人是不是太老了？这个游戏玩的就是激情，太老了不行。一转念又想到安置在自家里的英国小男人，Tonny，但小家伙也太年轻了，还不怎么懂行，会不会拿不出手？想来想去，技术主管让最合适，丫三十多岁，精力充沛又没老婆，常到一些美女聚集的场合拿眼睛勾人。不过现在这厮正与一个开内衣店的香港女子拍拖，样子像玩真的，这样祸害人家不太好吧？

咦？当正经人的时候，看着满街男人没一个好东东，现在成了反面角色，怎么看着男士们没几个坏蛋啊？都挺一本正经的。算了，把那个英国小男生推上火线吧，中国男人占了全世界男人的20%强，英国男人也就1%

左右吧，可能还不到，物以稀为贵，让同伴们尝尝鲜，开开洋荤，兴许成为一辈子念念不忘的谈资。

49

唐大志于小娜这对大坏蛋又打架了，据说屋里没打开，跑到小区空地里追着打，惹得四周的宠物狗们兴奋得直叫唤。谁打赢了？在战术上肯定是臭丫小娜，能闹出这种九级地震能耐来非她莫属。别看别的方面平庸碌碌，就是能收拾大志，常把老公搞的灰头土脸，一脸悻悻然。

人家早说了：只在自家一亩三分地里兴风作浪，其余皆不理。

想想也是，把自家眼前那片地搞得风调雨顺，肥沃一片，就比四下瞎喳喳强。大志一直是她修理拿捏的目标，外表容易打理，就像这个城市一样，宽阔的六至八排大道，两边栽上银杏树，画上各种禁行、拐弯、罚款的标志，然后告诉市民："OK，走吧。"于是行人乱穿马路，汽车挤进人行道，这乱糟糟的就有点像大志狗丫的富民兼暴发户心态：踩红线，踩红线，不断地向禁区招手!有点不吃白不吃，吃了也白吃的贪婪本色。当然只在搞钱上这么积极进取，小娜是不会横眉竖眼反对的。但这只张牙舞爪的猫是不管什么耗子到处乱抓的，一点儿也不在乎生态环境失衡。

177

忍不住了，小娜妹妹便会跳起来呲牙咧嘴地耍雌威，耍的肝火急升，恨不得吐血倒地而亡，刀子都动了。

常没记性的大志，也怕玩过头，把老婆孩子弄丢了——老婆还是很俊，很让周围流口水的，泼辣点也就认了；儿子乐乐多可爱啊，小嘴一咧唧唧歪歪地叫，还有两个贼漂亮的酒窝窝，抱在怀中别提多美了。就这一家子要是拆了散伙，落个姥姥不疼舅舅不爱被人指脊梁骨数落的百分百是大志。

好色到底的大志也有个足以比肩弱点的优点，只要做了坏事，要杀要剐随你了，还让干吗干吗，踹两脚就挨两脚，想掐就把肥肉多汁的臀部支出去，要是打得受不了了才会往外跑。当然是不得已的情况下，一般是情愿关起门来受委屈受虐待也是不愿出来丢人现眼的。

小娜臭丫常常莫名苦闷：咋就好狗改不了吃屎呢？

答曰：1.他由始至终就不是只好狗。2.与那些小意思的皮外伤比起来，其内心的躁动才是更大的虐待。

如果要治他的病，是不是以其人之道还治其人之身更好呢？答曰：不知道，不知道哦。

于是在一家茶馆里伏桌写方案时，小娜就苦着脸坐在了对面，把儿子寄存在婆婆家里，像个跟屁虫似的缠上咱这个坏枣不放了。

"坏枣，答不答应我？"

"甭玩了，你玩不起，更输不起！"

"小看我？连你也觉得我没用，好欺负？"她的报复出奇地凛冽和冷静，让人忍不住要笑出声来。

"狼和狈是一结伴捕猎的好搭档，两者完美无缺地结合在一起，不仅不饿肚子还能吃香的喝辣的，不易受更大的野兽欺侮。时间久了，它们就成了事实上的战略伙伴、战术同盟甚至命运共同体。至少狈狈是这么想的。狈认为：我倾其所有，把所有的爱和心思都无私奉献给你了，你起码做到同样才不至于辜负我。所以它看到狼向一只过路的母狼抛媚眼献殷勤时心都碎了，为了惩罚这只负心的狼，让猎人设套诱捕了它。被猎人逮住的公狼在被关进铁笼子送进动物园的路上诅咒：狈啊狈，你这个又蠢又傻的坏东西，搭上我的顺风车你才沾了那么多好处，还不允许实现我内心秘密处的追求和快乐，狈狠了！敢这样整治我，要是我回到旷野，无论如何也会与你拜了！走着瞧！"

小娜撅着小嘴，弹着杯子，铮铮作响。"说我是狈，真是讨厌！其实我是那只母狼。"

"母狼都是自己找东西吃的。它也许妒忌，也许过分妒忌，但实施报复后依然能很好地生活下去，而不是像狈那样把整个前途也搭了进去。你现在就像依附在树上的藤，树一倒，你自己也无立身之处了。因此你要容忍狼的内心秘密和花枝招展。你怎么可能以对等的身份要求大志对你忠心不二？某种程度上他是对你忠心的，他身边的女人走马观花，只你一个岿然不动，还让你给羞辱得很难看，已表明了你不朽的魅力。我看算了吧，过度强调平等会让你赢了战术输了战略，赢了形式输了内容，记住，你老公这种花花公子决不会容忍你的不洁！你能通过打骂兼经济手段把不等式配平，唐大志有这样的调节手段吗？你能给他以经济上的补贴还是能让他追着到处跑满街羞辱？不要只强调某一方面的对等，要看全部！你这种弱势的，不要好强过分了，为了面子而丢了里子。傻子，你要还是不平衡，可以回家继续踹他去！"

小娜面色忧伤地把脸歪在桌子上，依然愤愤不平，难过得要死。"真不公平。真不幸我要受制于他！看来我也要先找份工作，然后再收拾他！"

咱老大不以为然，"找什么工作，我看你不用，这样吵吵好好，闹闹合合，挺适合你们的。你这样动不动就亢奋异常的状态也特适合过这种日子。放心吧，别的夫妻都灭绝了你们也会万古长青的，彼此死心塌地的那个样儿。除非你玩火。"

她不高兴地抗议："怎么不说他玩火？"

"他玩火，他一直在玩火，你已经有免疫力了！而你没有。现在的情况是只许他州官放火，不许你百姓点灯，你太缺乏资本！不过你可以升级虐待他，他受不了时也许会收敛。"

"珊，你这样玩火，将来你老公会这样敲打你吗？"

这是个冷酷而狡猾异常的问题，唬了咱一跳。每个体系都有它独立解决内部矛盾的独特通道，也许这样的那样的，微妙的，合理不合理的，目标只有一个：平衡。咱不知道会怎样，也许到时两口子彼此相互忠心专一了呢？也许也漏洞百出一路吵吵闹闹到终点？或许像自家父母、别人家那样脚踏实地地白头偕老？哎，不知道啊！

179

"放心吧，肯定有办法过下去，摸着石头过河吧，没有固定答案。"

"珊，虽然有时嘲笑你，但有时也真羡慕你，活的没心没肺的，走到哪里都了无牵挂，像大街上的流浪狗一样，虽不讨人喜欢，但也没碍着谁。"

不知道怎么评价臭丫的眼神，在现实的劣势中却带着那种道德的优越。对，就站在道德巨人的肩膀上，那是她唯一站得住的地方。

"讨厌，是夸我还是变着法儿骂我呢？别表现的这么高清好不好？高是高高在上，清是不清不白。"

"当然是夸了，流浪狗好啊，狼心狗肺，见了好吃的上去就两口，还有道貌岸然的堂皇理由：这就是世道啊，有人吃肉，就有人喝汤！"

50

"左岸风景"里有一个小房间是老板娘休息的私密场所。在这里能端详大厅里每个角落。左梅是不是偷窥上瘾了啊？先不用理这个无聊的女人。

桌子上的果盘里有五个桔红色的乒乓球，每一个里面都有一把钥匙和一张家庭地址的小纸条。就像抓阄一样，每个参与者都可以随意拿走一个，如果摸到了自家的钥匙，可以重新再来。上午那些寂寞女人早就准备好了，下午回去做了晚餐，把自家那口子安顿好，就意志坚定、兴奋得"砰砰"跳或幸灾乐祸地集合来赴一夜激情之约。

你得说她们都是些有一定经济实力、日子过得漫长而空虚、渴望着身体出点轨的女人，每个人都身姿曼妙，没有那种发中年之福的，扮相也性感优雅。虽然彼此面对时都尽量低调寡言，示人半张或三分之一张脸，好好一桩事弄的好像偷偷摸摸栽赃养汉似的。

妈的，咱谁也不想看，如果他的生殖器是你们彼此互相私有的，现在只是私密交叉交换了一下使用权，平等也公正。你觉得吃亏你可以退出啊！别像传家宝似的那么小气，偶尔拿出来流通一下也没什么不好？

左梅在忙着沏茶，那两个……就说淑女吧，因为人家在门口的夜影里不想这么快露面，还有一个是躲的更远还是还没到？

不管她们，咱先拿起五只球看了看，有一个掉在桌子上乒乒乓乓地响，很随意地拿走了一只，走出房间，消失在夜影里。

咱的车离酒吧不远，能看到那几个形迹可疑的女人的进出。果然有一个若无其事地进去了，然后急匆匆地走了出来，飘扬的长发消失在不断变幻的霓虹中。

把那只乒乓球扔进盒子里，不用打开也知道去哪。除了咱，所有的女士面对的是随机选择的男人，只有咱是内定的。我只要那个金融老手。左梅老姐人聪明，提前把那人老婆提供的钥匙和地址交过来了，到此咱只需走走形式，把几只球中最轻的拿出来罢了，因为里面什么也没有。

对不起咱作弊，算是利己不损人吧，怎么着也得摊一个不是！

把车子倒出来，刚上路，就见一个相当熟悉的身影从斑马线上快速地跑过去，贼似的。哦，不会是于小娜臭丫吧？这么巧？她想干吗？玩火？

陆文通住在亚运村一套大号公寓楼里，楼高得吓死人，但电梯很痛快，上去下来都很麻利。电梯门开了两次都没敢上，忽然有些担心，万一人家老兄不愿意，不傻眼了嘛！叫人家给轰出来也太难看了，还不如跳楼！唉，这种事啊，反过来就好办多了，陌生男人进了房间，女人不愿意就以力量的优势强迫她屈服。女人怎么能让男人屈服啊？唉，真后悔平时不去打沙袋练拳击，揍得他们爬不起来总可以了吧！男女平等？怎么可能平等啊？

进电梯了，上升过程中又犯愁了，搞男人还就得搞先期眉目传情的，霸王硬上弓有难度。他这位置占的好，进可攻退可守，女人想抢占位置，基本上各方面还都没做足准备。也算没进化好吧。

下了电梯，给自己想好了最糟的三条理由：①他要问：你是谁啊？答曰：你老婆的好朋友，过来借宿一晚。睡沙发吧，不打扰你。②他要惊讶地问：走错门了吧？答曰：哦，可能走错了，不好意思。③他要想起来的

181

样子：你怎么来了?见过面啊！答曰：是啊，拜访你两口子来了，别见怪啊，呵呵。

缩手缩脚地开门，妈呀，这铜钥匙是不是真的啊？左转转，右转转，打不开啊！

脑袋出汗了，别让那坏女人给耍了，这种哑巴亏吃了也不好外说。现在人的诚信啊，太有问题了！万一被邻居撞见，当成贼也是有口难辩的。恼羞成怒之余，门竟开了，哇，里面粉红的壁灯照着，地上地毯，墙上油画，很别致温馨的一个小窝，起码是下了工夫的。站在厅一角能看到阳台边上的一大缸五颜六色的热带鱼。

妈妈的，紧张得脚出汗，腿肚子抽筋，得把高跟鞋脱下来，不知放哪，就提在手里吧，找个沙发坐下来再说。

屁股刚陷进去，有个声音说："要不要先沏杯茶?"

先咬着牙难受了一瞬间，就放开了，"好啊，绿茶。"

男主人穿着睡袍趿着拖鞋从门后面晃出来（妈的，真是高！一直躲在门后边，怎么没躲到鼠洞里去！），看似悠闲地端着一只杯子过来，正儿八经地坐在旁边。

"知道我来干吗的吗?"先发制人。

"黑灯瞎火能干吗呀。"

好酷，他笑都不笑。

"你不是脑袋不开窍的笨蛋吧?"

他搔着头发，脑袋转向鱼缸，"不是。"

"真的假的?"

"真的。"

他的脸还是暧昧不起来，唉，商人啊！

"给咱筹笔资金吧，想到房产上折腾去。"

"这种事白天就可以正大光明地找我谈。"

"你老婆呢?"

182

"回娘家了。"

"几点回来？"

"今晚肯定回不来。"

"……你都知道了啊？"

"知道什么？"

妈的，真能装！恼羞成怒中把鞋子扔了过去。

"呵呵，干吗啊？到我家来就这样对我施暴？"他站起来走了一圈把灯全部关了，只有外面模糊的月光影影绰绰照进来。"我在里面房间等着，想好了进来。"

看不见对方的脸好，不必尴尬。一不做二不休。但哪是门啊？妈的，碰得额上起了个包。好歹摸进屋子，扔出一句："你要钱吗？"

"如果心里舒服就给一块吧。"

从包里掏出夹子，摸出像两块的纸币放在桌子上，觉得心态好多了，付账了嘛，高高兴兴跳上床。

他像狗一样从那头爬过来，屁颠屁颠地，"咱们也算一见钟情吧，珊？"

"你老婆这点不好，先告诉你了，不好玩了。"

"不告诉我她就玩不成这种游戏！你这个坏东西可是我点明要的。"

"哇，这么快！先按摩10分钟！"

"按摩？都是老婆给我按摩！"他抗议。

"按不按啊？"

他那不知轻重的手开始在后背上捏，"真是毛病多！你是不是也得给我按三五分钟的啊？"

"让你老婆按吧。哎呀，你会不会啊？往上点，左……再往上，挠挠痒痒……哈哈哈哈，坏蛋……"

51

坐了老半天，老板娘还不出来？来早了还是来晚了？看看窗外，这个缺电的城市还是一片灯火辉煌的。

左梅死到哪去了？手机也不开，不会背着自己老公跟人家的男人跑了吧？这样说又梅开二度了？呵呵，一个女人一生中能有三次这样的机会基本上说是活得风生水起，不虚此行了。每次都7年之痒，谁能不卑不亢地燃烧21年的激情？

"你的。"

"什么啊？"里面五颜六色光怪陆离的，叫人想起但丁老哥的《神曲》。

"苏格兰骑士。"

Tonny心情特好，这是他请客送的，也是他带给"左岸风景"除了披头士模仿外的一个聪明噱头，送女士们苏格兰骑士，送男士们苏格兰公主，其实里面的彩色浆糊基本上差不多。然后这个苏格兰小生跳上舞台，一边拨弄着吉它一边唱《风中之烛》。

有点闹心了，刚说离开，眼睛滑过周围一个个暧昧轻佻和懒散的眼神，看到了么，男人吃饱了没事干就是这副德性的！当然，还有一个更牛b哄哄的……说白了吧，他也不是那种高大挺拔身材绝佳比例的人，只不过五官周正气质有点好罢了。

陆文通大大方方地坐到了对面。以前他可是目不斜视，上等人公爵一样直直地走向吧台，要最好的红葡萄，对别人也是不屑一顾的。

不知为什么他不像以前那么有吸引力了，就像前几年第一次见到南方的猕猴桃，毛茸茸的坏土豆似的，背着老妈用学费买了五六七八个，大肆吃了一顿，味道还真不错，但没到理想的高度，所以以后也跟苹果桔子一样无所谓了。

184

更糟的是咱现在胃口不好，不想吃进任何东东，看见也觉得厌倦，又没什么特别诱惑力了。

他觉得自己挺幽默似的拿出一叠挺括括的一元新版人民币，像孔乙己那样排在桌子上，"钱给多了，两块就够了，我卖不了这么贵。找给你后面的编号从1到8，数数。"

咱把钱拿回来，妈的，还真是连号的，不是特意从银行里换的吧？可以送给老爸当书签用。

"还有吗？给你换二十张。"

"没有了，没有这么新的了，也不连号。不早说，给你扛一袋子来。"

"算了，你老婆回来了么？"有一搭没一搭地。

"回了，并无妨碍。你不是喜欢上我的窝了吧？"

知道一个一本正经的男人出轨是什么神态吗？眼睛亮晶晶的，一脸歪笑，辅之眉眼飞扬撒娇使坏的样子。你要么喝口水喷他要么立即同奔进温柔富贵乡里了。

啤酒关在嘴巴里，没喷出来，却想用高鞋跟踩他。

"现在没有需要，不要勾引我，我会烦你的。"说的冷冰冰的，也不看他。

他在对面压着嗓子抗议："为了你我付给我老婆5万块！"

5万块？才5万块！这就是咱的间接身价？！端起啤酒泼在他脸上，又随手推倒了苏格兰公主，雄赳赳气昂昂地往外走。

Tonny唱得太好了，闭着眼睛瞎晃着，唱的那么投入，好像戴安娜是他老姐似的。也许中国人永远无法了解戴妃对普通英国人意味着什么，但中国人听得懂深情切切的赞美和怜惜。所有人，酒吧里大部分人都在聚精会神地看着泪光盈盈的Tonny（也不知真的假的），没人在乎我和一个男人的打情骂俏。这种事在酒吧里多如牛毛。

陆文通追出来，站在阴暗的老槐树下愤怒地叫嚷："5万已经够高了，你对我才出2块！"

"妈的，你也就值一块！"

哦，车钥匙扔他妈哪里去了？翻了各个袋都没有，包里摸了又摸，好像也没有。

陆文通转身回了酒吧。咱站在路边，把包里的稀里哗啦全倒在车屁股上，妈妈的，明明放在包里了，就不信钻这么深！然后，面巾纸、小镜子、小梳子、润唇膏、手机、房门钥匙、项链、钱夹、避孕套、鱼肝油、香水、风油精、硬币（大部分都滚到车下了）……统统再拣进去。还是不见车钥匙。

"心情不好就明说嘛，不用这么气急败坏。"他悄无声息地站在旁边，伸着手，食指上挂着车钥匙。

"放在车上！"不想从他手里接。欠他似的。

他不声不响地绕过车子，自己开了车门，技巧娴熟地把车从狭小的窄胡同里往外倒，贴着旁边一辆Z系宝马出来了。

"你干吗啊？"以为他要挟。

"担心你毛手毛脚碰了我的车，还吃了亏似的指责我停的不是地方。你不是要走吗？"他从车里下来，很君子地让开道。

咱被那辆掀开杂志就到处做广告的顶级宝马吸引住了，"干吗这么骚阔骚阔的啊？公款还是私款？"

他那边以嘲笑的口吻："不当官又不当政的，哪来的公款？不要故意开罪我，我也会生气的。"

妈妈的，真想试试他的好车，一百多万吧，干吗这么舍得？有辆破车开着还不行啊，开强车也不会长命百岁！

"你的钥匙呢？你坐我的车，我也得试你的，很公平。"

陆文通洋洋得意地递过来钥匙，咱就坐进去，嗖的一下，巫师念咒似的汹涌澎湃地越过低矮铁栅栏，辗过草地上"请勿踏小草，爱护生命"的小木牌，直直地向泊在人行道上的现代出租车驰去——无极变速啊，奶奶的，亏咱眼急脚快，一脚下去，车前脸和人家屁股也就一把软尺厚度的缝隙，生生没有亲密地拥抱上！

那一刻，浑身的汗水泵似的往外抽，耳朵也失聪了，只见出租司机愣了一下，飞快地过来嚷，厚嘴皮子上下翻动，却听不见讲什么。反视镜中陆文通也像鸭子似的啪嗒啪嗒扁着脚往这边跑，其他闲人也赶紧过来围观。

出于综合原因，咱就在里面哭，死活不开门，也死活不出来。妈妈的，你们就起劲骂咱、指责咱、嘲笑咱，兼开出单子让咱赔吧，咱的小命还差一丁点儿就报销了呢，浑人！

这件事的直接后果是：1. 与陆文通又和好了，起码对他说话客气了。因为在那种气氛下，他是唯一没站在咱对立面的；2. 再不随便摸别人的好车，黄金做的也不摸；3. 生命真珍贵，一不留神就可以死上一万次！

当然还有一个预感，武汉的项目可能要成！好运坏运平衡嘛，这么过分地惊吓咱，只有把那个项目判给咱才扯得平啊！

52

别人有心事时据说是不吃不喝的，多有福气啊。咱不行，心情只要出现糟糕的苗头，就容易开始暴食暴饮了。可能是平衡理论在搞怪吧，心情差，就要在嘴巴上补过来。

吃多了难受也不好办啊，不是有健身房嘛。吃进的是蔬菜、水果、糖类、蛋白质什么的，再以热量的形式强制散发出来。

就是崇文门的那家健身房，平常没事就叮叮咣咣地响个不停，一大帮身段好与不好的姐妹在健美老师的带动下兴奋异常又晕头转向地蹦来跳去与旋转。这个世界就是有人饿死，有人奢侈地找罪受。汗流浃背，到处黏糊糊的，咱都沉得转不动了，要不是台子上的帅哥高着嗓子拍着巴掌策动和他扭来扭去的电动臀部，咱就坐在地板上死活不起来了。妈的，任何事过分都是虐待。

还好，臭丫小娜在门口张望，把咱从帅哥哥的电眼中救了出来，要不就可能做了风流鬼了。

小娜脸色阴阴的，像清明节那天的乱坟岗。在附近的茶店，那厮很没脾气地坐在角落里，一副开水烫过的样子。

"说吧，把我拉出来还不说？看你的脸，以为你是帅哥啊？"

没翻白眼，只是重重地叹口气，她幽幽地说："大志要和我离婚……"

"哈，什么？"咱还以为听错了。"你打死他算了。"随即冷笑，"是不是玩火烧着自己了？"

像打中了七寸般，她不语。

"早就警告过你，不要趟过红线，不要趟过红线，还像杀了你似的！自己多粗多长吃几碗干饭自己还掂量不明白？问问你，那天晚上你是不是去'左岸风景'了？这种游戏你还热乎着参与？！人家都老夫老妻腻歪个差不多啦，像交换二手地毯似的，图个新鲜和刺激，你图什么啊？就为了刺激唐大志？让他返回头来扇你？你不是找抽嘛！更弱智的是你还敢拿着他去交换，铁证都送到门口，你不是活活缺心眼吗？"

哇，不得了，臭丫眼泪脱了线的珠子似的，没完没了地抹。"坏蛋，要不是你发起这糗事，我至于这么……蠢吗？"

"嗤！干吗怪我啊？是不是找抽呐！自己搬起石头砸了脚，真是二百五！"

小娜显然气迷了心窍，继续揪着咱不放，"反正你脱不了干系，万恶的事皆有源头，对吧？我就是你蛊惑的！"

与这样胡搅蛮缠的人在一起，气得心肝都疼。"随便，你就昧着良心说瞎话吧，我是你付得起的牺牲，也是输不起的全部理由。把我透支了吧，我的声名狼藉也许会挽回你的声誉和幸福。"

小娜又在惨兮兮地哭，"干吗这么生气啊？这只是选项之一，又没说非去实施。这么小心眼，怎么当老大？"

臭丫头还是有点聪明劲的，知道关键时刻送高帽。问题是这个时候谁愿意戴？"老大"很了不起吗？尤让人不耻的是她这种聪明劲还让人看了出来，显得智浅而功利。

"事到这分上，离也算了，也不要去求他，反到他更来劲了。协议不成，找个好律师吧，把乐乐留下，房子要大的，给他个小的，车就不要了，存款要大半，给他留个零花也就够了。他自己还能去挣，你带着孩子，得生活的舒服点。"

咱多为她着想啊，没想到臭丫厌恶之极地抗议，还把一只鞋子蹬掉了。"不离！我就是不离！乐乐得有爸爸疼！"

"干吗这么死乞白赖啊？掉价！以后他可逮着机会折磨你了。一个男人，别看他多么无赖流氓，可能就是受不了自己老婆与别人睡过觉。这种后遗症可能比抢了银行还严重，你想去吧。"

小娜立即尖着嗓子高调地反应："没有！没和别人睡过觉，还没来及！"于是在惊诧和疑惑的眼神下，臭丫还挺傲慢地娓娓道来："本来么，也想让他品尝一下戴绿帽子的滋味，在下并不是很想与别人上床（此时眼光形迹可疑地白了咱一下，多优越似的）。那天我拿到钥匙后并没开人家的门，不习惯也没胆量，就在楼下会所里面干坐着。倒是拿了我家钥匙的那一个骚货要真正勾引我老公。大志还是很聪明的，平白无故又没花银子天上怎么掉下了馅饼？三问两问，就问清楚来龙去脉了。大志给我打电话。想想真后悔，我害怕就没接。大志就带上那女人一家一家疯狂地找，终于在那家楼底下找到了我，还为此扇了我一个大耳光，然后扬言离婚。我怎么解释没去开人家门他都不听，也不信。"

哦，这么简单啊，没那贼胆瞎玩什么啊！"你拉出来那男人对证不就行了？不过也挺可笑的。"接着咱就听到了自己的笑声。

小娜气，"亏你还笑得出来！告诉你，我是不离的！本来也没干什么坏事。"

"是啊，本来没干什么坏事却承担了干坏事的后果，忒亏！你看人家大志，坏事一串串的，有目共睹，还能站在道德制高点上制裁你。输了战术也输了战略！"

说得臭丫擂桌子暴跳，"我自己就是太软弱了，没法子反制他！以后他可以为此揪着小辫子欺负我了！"

"哈哈，这句分析的中肯。"

"我该怎么办？"丫头眼睛亮晶晶的，终于要动脑筋思考了。

"把没干成的坏事干了，反正他认定你做了，省得遭罪和挨冤！"

对面哇哇地抗议，还试图用茶水泼咱。"没做还洗不清呢！万一真做了，我会到他面前老老实实地承认，然后要杀要剐，随他，就是不离！"她看样子是认真的，又哭了。

"你就真的这么爱他，在乎他到这种程度？"小心翼翼地求证。

她点点头，"这次是过火了，但我并不是为了犯贱，只是想让他知道那种心痛和屈辱的感觉，让他以后不要那样对我。"

"呵呵，这下可好，他不仅感觉心痛，心还没了。这也不正好说明他也很在乎你吗？一心希望乐乐的妈妈是个遵守妇道妇德的好女人，泼点也就算了，现在可好，没德了，不泼也不要了。呵呵。"止不住的幸灾乐祸呢。

"给他打个电话！"小娜摸到了咱的手机举起来。

"干吗我打？我能说什么？你们俩自行调整就行了，教给你一土方，回到家去，抱着乐乐使劲哭，大志不是心疼孩子吗？你娘俩就没完没了地比着哭。起码在短期内他是不会追究你的，你也趁机变得贤惠一点，再贤惠一点。两口子总有机会单独相处的吧，然后你再慢慢告诉他，告诉他你心中所有的感觉，把刚才给我说的都告诉他，告诉他你很爱他，'爱你'、'love you'这种话一定要说出口，一遍不行说两遍！要用点感情，不要害羞，现在害羞没用了，要把自己当作死刑犯来抢救。这个时候，谁也帮不了你，只有你自己……"

忽然手机奏起了《梁祝》中的"化蝶"，小娜连忙扔在桌子上，跟她没干系似的。一看是大志打来的。

"老兄，搞什么搞，请我吃饭啊？"

听得出来，他在里面强忍着性子，"你刚刚不是打了我的手机吗？什么事？"

咱白了小娜一眼，一定是她按的。"干吗这么刺儿头啊！没事不能找你啊？忙什么呢？吃了没？"

"是不是小娜在你那里？"他倒敏感。

"小娜？你还知道关心小娜啊？刚才她哭哭啼啼跳楼了，我这儿雪下了一尺多厚，说明的确比窦娥还冤！"

里面啵一声挂了。妈的，脾气竟这么大。

我们面面相觑。

53

一点也没料到，一场小打小闹不入流的游戏竟然产生了雪崩般的破坏效应，没有预期后果的人被纷纷砸中。据说平时架都懒得吵的左梅两口子现在又站在了风口浪尖上，彼此百看生厌；于小娜唐大志俩坏蛋更不用说，连Tonny小贼也要不辞而别了，挣的好端端的学费，还能赚个明星当当，干吗说走就走啊？不会她们哪个神经病，虐待他了吧？反正英俊小生在咱的屋子里收拾干净后留了纸条说回苏格兰，然后就像过路鸟一样扑腾着翅膀消失了，痕迹都没留。

其他不怎么认识，那两位好像也在打冷战，与报纸上正式公布的离婚模式显著不同，这里均为男士们在反击。噢，对了，那个姓陆的哥们好像没动静。

就像天太热跳进水里洗了澡一样，谁也没看清那是黄河，上来后，浑身湿淋淋黏糊糊的，反而更说不清道不明了。咱自己低头朝脚上打量，蛮干净的，没泥也没水，形势也不被动，关键是没人有资格敢对咱说三道四。

让人不爽的是：男女真他妈的平等的了吗？男人能做到家里红旗不倒，外面彩旗飘飘，大蜜小蜜一串一串的；女人一有风吹草动，他们咋就有如此巨大动静呢？唐大志狗丫好理解，无论小娜怎么嚣张，他都是家庭团队中当之无愧的NO.1（经济上）！就像江中起中流砥柱的礁石，只要不犯事，随你没日没夜地怎么流；一旦惹了我，你就惊涛骇浪改航道吧。颇有只许州官放火，不许百姓点灯的味道。想想也是，州官与小民怎么能相提并论！

但左梅不至于啊，凭她的风情、权威与大女人样儿，无论如何也不该让心智平平的老公勒索的，起码也得与唐大志、陆文通和州官站在相同的高度上。否则，你的地位也太虚了，这点小菜菜也兜转不了，甭再咋咋呼呼混下去了。女人能屈能忍能打掉牙齿和血吞，男人为什么不能？丫的。

给左梅打个电话，她在那边没头没脑地嘀咕，全然没有了前几日的神气和风采。

"珊，瞎菜了，我那口子近几日跟个倔驴似的跟我没完没了地嚷嚷，也不做饭给我吃了。我已吃了三天盒饭了，胃都受不了了。"

"散财消灾吧，多给他一些零花钱，配置几身高档名牌——你家的衣橱应该打开，清一水儿的凯撒西装，连着七八套，然后配七八套高级衬衫和领带，再送块劳力士或雷达什么的，要舍得出血，10万块吧，估计他就不闹腾了。"

里面立即尖叫一片，"什么什么什么？10万！？妈呀，还不如杀了我！他哪里配得上这些牌牌啊，真是的，还不给生生糟践了！"

呵呵，咱心里冷笑，他配不上那些名牌才退而求其次配上了你！装什么高雅的三孙子，你配得上？无耻没这个无耻法的，你吃肉别人不许喝点汤？

"要想风平浪静总得有所表示吧？你老公也真是，他也从中得到便宜了，还学什么猫叫！你要是单独养个情人什么的，他不是白白吃亏了么！想着他还不讨好，人心不足蛇吞象啊！"

左梅开始高声叫骂："也怪我像猪一样死心眼，这种事带他干什么？吃了羊肉惹了更大的一身膻，想当初咱们几个独自玩一下就行了，管他们呢！一点也不懂一个萝卜一个坑的道道。我没嫌弃他，他倒嫌弃我来了！"是那种惊讶与恼怒之后的愤愤不平。

"如果你们两个既然觉得对方都像榨干的甘蔗似的，食之无味，弃之不可惜，也不用再相互榨，相互挤兑了，放彼此一个活路，比互相折磨好。相守这么多年，爱情终于磨没了，总该生出一点仁慈之心吧。离吧离吧，再找新的，都不必死在对方这棵树上，替你们难受！"

左梅却口气强硬："那不行，说离也得我提啊！是我蹬了他，也不是他站在道义的制高点上甩我啊！一辈子也甭想站起来了！"

"呵呵，爱情和婚姻都没有了，还提什么尊严，我不相信你们之间还真的有什么尊严，生活得像猪一样，阴沟里都爬满了虱子。你的生活已经扭曲了，他这个小盘子怎么装得下你这只活蹦乱跳的大虾？你快离了吧，别再折腾老实人了，然后再找个男人焕发第二春！"

193

"妈的。"她还答应得挺快，"不过他得向我认错……"

电话就这样断了，不想理她，不可理喻，意识混乱，是非不辨。妈的，还向你认错，搞没搞错啊？这样的女人真不该露头，一点标准没有。

下午打武汉的手机。里面说："我这一行已到法国，刚下了飞机，伊曼的接待员正帮着提行李……"

哦，中国移动能漫游到戴高乐机场！马上打到雷伊办公室，"客户到法国了，我竟不知道！"

法国人不知是素养沉稳还是真不知道，"我亲自负责给办的签证，他们从上海走的。我以为上海那边给你打了电话。"

"为什么上海给我打电话？"直觉告诉我上海那个部出了问题。

"上海分区的一个副经理和让陪同客户走的，他们没有告诉你？"

我用无法原谅的眼光看着雷伊，这叫什么啊？抢客户？熟了抢着摘桃子？妈的，他们怎么不从美国人德国人日本人手里抢啊，却近水楼台从内部人手里抢！你知道我的档期和弱点！

　　电话打到上海，不管咿咿呀呀的汉语还是叽叽呱呱的法语，就是一顿劈头盖脸的暴骂，上至总经理下至接待员，没一个敢接电话的。

　　末了，到酒吧里多喝了两杯，喝到想不起具体烦恼了，就靠着人家的窗台拉帘子玩，手持一把银珠串，拉上又拉开，拉上又拉开。还对着满街的灯火傻笑了若干次。直至陆文通狗丫幽灵似的出现，拉到他车里。

　　"怎么喝这么多？"

　　"妈的，爱喝多！"

　　"哦，谁惹你了？"

　　"妈的，都惹我了！"

194

　　然后就哇啦哇啦没完没了地吐，弄得他香喷喷的车里腥臭不可闻。忘了以后的事了，那天太困，检索不到记忆。只记得第二天大亮时，满床褶皱，陆文通正在穿衣镜前系领带。

　　"你老婆呢？"

　　"回娘家了。"

　　"老回娘家啊？"

　　"娘家舒服呗。"

　　"你会不会离婚？"

　　"不会。"他面无表情，像回答：吃了没？

　　"结几次了？"

　　"两次。"

　　"第一次为什么离？"

　　"第一次思想绷得过紧，没协调好。"

　　"第一个好第二个好？"

　　"都一样。呵呵，第三个好。"

"这个为什么不离？"

"感觉都差不多，不想瞎折腾来折腾去了，累。这个是猪是狗也养着她了。"

愣了一会儿。

"我觉得我上你的套了。"

"你不是一直在算计我的吗？"

"聪明反被聪明误。你有点甩不掉了，阴魂不散！"

他在得意洋洋地笑，半张脸舒展着，"我想抽身而退时再退。"然后转过身，站在床前，叉开腿。"珊丫，你就恋着这张床吧。我们这种人算得上半斤八两，你不用比较我们谁更无耻，我满打满算也就经历了三个女人，两个老婆加一个你；你可是满街跑轮船了。当然，你也用不着对我忠心，但你也别打算这么快走掉，等我们互相厌倦了——你现在就讨厌我了吧？但我还没到这种程度，征服一个嚣张野蛮又有点头脑的女人让人有点成就感的！"

枕头随手砸出，"流氓！"

他理了理枕头碰过的头发，冷冷的笑意，"不要徒劳无功地试着与我动手，我从不打女人。起来洗漱一下去上班吧，你能从那里得到尊严。有什么需要尽可以给我打电话，我能为你做很多事。晚餐也可以过来吃，但别指望我会做饭。"

195

54

一个好汉三个帮，一人篱笆三个桩。我想帮小娜，不想她有那么个稀里糊涂失败的婚姻，对她可能有毁灭性的打击。她所有的故事和琐碎都来于婚姻，来于唐大志那种为她撑起来的安稳生活。有的女人天生喜欢在羽翼下，天生依靠一棵树阴下奢侈地度过光阴。在静谧闲适中生儿育女然后安安稳稳地走向坟墓是她不能改变的命运。

她有尊严吗？也许有的人只配活着。

到处找大志，到处堵他。强者在尊严受挫时总这么气急败坏地要全部推倒，难道这样就平衡了吗？如果你也曾犯错误，你也不是上帝，你就没有资格这么生气，这样不能原谅别人，好像你从来没有愚蠢过似的。

大志好像故意躲着我，从不接电话。妈妈的，你总不会不上班吧？

那天早晨从公司出来（武汉那帮人还在法国大把地花着欧元吃大餐，看美景，看舞娘，好像没什么咱操心的。在玩上谁也不弱智。），看到大志的奥迪停在他公司最隐蔽的角落里，见不得人似的。我就在车旁边等。一会儿都下班了，兴高采烈地往外走。车慢慢稀少了，但大志还没出来。俩保安在狐疑地向这边张望，一副不放心的样子。

咱蹭蹭地跑到楼上管理层，不知哪是他的办公室，一个门把手一个门把手旋转，大白天的准不会把自己反锁在屋子里吧，又没见不得人的事——忽然之间，一个想法，他不会与某个秘书或女同事单独留下来搞事吧？在这种事上，咱向来不惜以最大的恶意猜测的，上班时间眉目传情，下班了干柴烈火搞几下，也是避免不了的，只要别让人逮个正着和戴上套套就行。

呵呵，这个门与其他纹丝不动的门不一样，不用拧就开了，大半张报纸后面露出一个憔悴的脑袋来，报纸前面是他臭烘烘的大脚丫，翘在桌子上，整个房间空气里的某种化学味道浓了若干倍。

咱无所畏惧地走进去，离他脚丫子两米处坐下来，从桌上中南海里抽了一支，又到处找他的打火机。

大志很讨厌咱似的，理也不理，继续看报。看到我终于从离他脚丫子很近的地方拿了打火机，捂着鼻子逃窜时，啪地放下报纸穿上鞋子给自己倒水喝。很好看的茶杯，接满了端在自己跟前，继续看报纸，但脚丫子没再摆上去。

咱终于得以靠近那张桌子，伸手把茶杯端过来，放在自己面前，也不友善：丫一点礼貌没有，没看到有客人啊！并挑衅似的喝了一口。

"大志，几天没回家了？去把乐乐接回来吧，小娜一个劲地哭，孩子也跟着哭，哭又不能当饭吃。小娜愿意上吊，愿意跳楼随她，也不用管，但乐乐不行，你得把乐乐要回来。"

大志也摸出烟，用一只贼好看的打火机。妈的，他抽芙蓉王，让别人抽破烟！然后烟雾散开。

"离婚吧，我鼓励你离婚。小娜很漂亮，也很温柔——你不反对吧？但漂亮温柔的多了去了，你这样条件的，再找一个大致差不多的也不难。直说了吧，小娜很愚蠢，她对你那种自私自利的爱简直不能忍受！就说这件事吧，还非把你交换出去，有没有必要啊！？人人又不是傻瓜！怎么没见你把她交换出去啊？这就是差距！她太寂寞了，太不平衡了，作为女人，我时时能感觉出来她那种心碎的感觉，那种绝望，那种别人分享自己蛋糕的苦痛！她没有别的排解，即使有时那种盛气凌人的幸福感和傲慢的私有意识，但在内心深处，她是不安全的，她敏感地意识到自己受到了不公平对待，很自然地想到了对等措施。但她是个封闭和内心深处涌动着忠诚传统的女人，精神的出轨都让她受不了，更别说身体了。她只是唤醒一种被注意被关注的意识，大志——"

他好像又在看报纸。到了烟屁股，咱连忙殷勤地又点上一支中南海，讨好地递过去。妈的，他还不屑接。一气之下扔到他身上，那厮这才从衣服褶皱里捡起来，放在嘴巴里。

继续说："其实给乐乐找个后妈或安插一个后爸也没什么不好，小孩啊，得从小锻炼他的意志、承受力和抗击打能力，一路幸福安稳地长大也不见得是什么好事儿，容易没个性……"

"你不就是让我原谅小娜吗？"那厮终于开口了，还有点不屑，"甭废口舌了，我也没打算真离，只是很生气，以此给她一个教训。"

"呵呵，你干吗像真的似的啊！我也说呢，你们两口子别看平时打打闹闹，都当疏通闷气了，才不会真闹地震。好了，男子汉大丈夫，回家哄哄她吧，别让那娘俩变着法儿哭了，会哭死的，不信你就不心疼！"

大志很摆架子，"哄她？她怎么不哄我啊？我才是最生气的！"

还想问他那晚为什么送上门的女人不享用——算了，以后再问，马上给小娜打电话。

"行啦，你俩别哭了，泪水都淹到天津去了！快去做好吃的，你家的那个大孩子饿坏了，要回去吃饭了！晚上，把小的送到我家来，你光哄大的就行了。"

里面一片哇哇胜利的惨叫。看看大志，丫一脸孩子般的羞怯和得意。

哇，解决了一件公案，很觉得自己功德无量，跑回家向老妈要饭吃，赫然发现王佳臭丫老佛爷似的蹲在我家正中央的沙发上大嚼排骨，自己的老爸老妈侍候公主似的在她周围里里外外地忙活。

"什么风吹来了你？干吗到我家坐我的位子啊？"然后一屁股把她搋到边缘去。

丫翻着白眼，一点也不在乎，大叫："米饭！老干妈，米饭啊！"

老妈立刻捧来了一小碗香喷喷冒着热气的米饭，招待贵宾似的。

"筷子！老干爸，筷子啊！"

于是老爸一路小跑送来了筷子。丫油着手往嘴里扒米饭，贪婪食相刚从非洲回来似的。

咱也从沙发上的碗里捏一个小排骨吃，刚说了句："米饭……"

"自己盛去！"老妈偏心地来一句。

呵，这是吹的什么风啊？里外温差这么大。于是在三双眼睛诧异的注视下，臭丫终于扒完了饭，嘴一抹，来个甜美的微笑，很舒心的样子，表情夸张动作热烈地跳下去拥抱了老爸老妈。跑到咱面前时，咱不客气地推了她一把，"干吗你王母娘娘似的啊？马克呢？"

"丢在德国了。"

"你怎么没把自己丢了啊？怎么没丢钱包啊？"

臭丫说话之前重重地打了个饱嗝，酒足饭饱很舒服的样子，"人家饿坏了嘛，跑回来吃顿像样的米饭。不信你问问老干爸老干妈，我刚进门时，也就是吃饭前，可瘦了。"

老爸老妈还真的似的点头，语气夸张得有待商榷："咱家佳佳可能在德国挨饿了，整天吃面包，吃土豆，三年都不会变样，搁谁谁受得了啊！"

"你就冤枉德国人吧，不信慕尼黑的大街上没有中餐馆！"

"有是有啊，米饭都是泰国大米蒸出来的，粒太大，塞喉咙！"

妈妈的，真是娇气挑剔得可以啊，让你在欧洲当女王恐怕也觉得没劲喽，怪不得中国人走向不了世界，都是中餐给闹腾的。

"马克怎么没跟着来？不是吵架了吧？"

她头摇成拨浪鼓，"他在音乐厅听英国演奏的古典音乐呢，我们全家都去了。我抽空去了趟卫生间，觉得好无聊，就跑出来买了张机票飞回来了。"

该我们全家人面面相觑了，窝藏了刑事犯一样。

55

没想到武汉八字刚有一撇的项目会提前做出投标的决定，就像小麦还没种进地里就先规划起秋后收获了是做馒头还是做面条，有些事就邪乎的吓你一个跟头。那就快点吧，这项目的用料特别，连预算员都一时半会算不出来，只好传到总部。同时竞争对手美国人德国人和日本人也在价格上伤透脑筋，在两眼一抹黑的眼睛下，如何不报到最高和最低呢？

不久接到一个电话，是前同事林胖子的，他老兄在日本同行那里执大牛耳，提出要与咱结盟，反正这单生意大，甲方估计也不会只进一个公司的货，如果是两家，不如就是他代表的日本公司和咱代表的法国公司，而且他顺风耳还隐约听说法国公司这边志在必得。

"我凭什么要与你合作？朋友归朋友，但碰到这事你还真别张嘴难为我。"

"没难为你啊，大家只是合作，有财大家一起发嘛，你拿大头，我拿小的还不行吗？反正你一家也吞不下去，人家也不想让你一家吞。"

"我被你骗了怎么办？"

"呵呵，你掌握着主动，其实该怀疑合作诚心的应该是我。很明显嘛，我没更多的选择。"

既然利益能分清楚，能合作倒不如合作一把。没用王秘书出马，咱还被林胖子说服了。

不久，法国预算部传来了一份精细报价，详细到一个图钉一个螺丝的价格。谁说法国人都浪漫啊，很务实很理性的嘛。不过传到上海分公司去了，妈妈的那边坑还没挖呢，甲方只要求做个特别的报价而已，就已在内部抢夺蛋糕了，把咱气的，又想起了百年老店不惧外攻只怕内部先瓦解的传说。

生意场上有时谈不到太多尊严和人格，牵扯到的利益越大越顾不得利益之外的，你能相信哪个人红口白牙的保证？你连己方的立场都左右不了，又如何向别人保证？各种盘根错节的关系在各个平面上左支右绌，海面上漂浮的冰山是看得见的，水下面还有多少根本无从知道。在利益和金钱面前，八面玲珑，穷凶极恶，甚至演绎看山非山看水非水的人性模糊，与在极度饥饿面前表现出来的动物属性一样，这也就是为什么越具有动物属性的人越能挣到钱并掌握大量社会资源的原因。

就像林胖子有足够的理由怀疑咱的诚心一样，我为什么要对他放心？这种龃龉又加入日本人的历史因素，变得更为复杂了。就像把美国人简化为傲慢自大，德国人简化为固执古板一样，"温吞水面具下精密的心思"基本上代表了日本生意人的特征，诚信和交心的合作基础几乎没有。

不好意思得罪林胖子，如果他换家公司咱都可以与他约个时间细谈，但表面上依然与他结成了同盟，有点像二战时代的东京与柏林的轴心，其实各自为战，大难来临各自飞。

北京这边斗智斗勇之际，上海那边狗娘养的也在**蠢蠢**欲动锻炼心智，他们竟与美国那边玩起了同进同退的战略互绑游戏，妈的，你死催的啊！守着这么多战略优势还不各个击破，绑谁啊？让谁绑啊？衰人！

更让人恼羞成怒的是上海分公司铁了心要与这边抢下这个大订单，理由也很堂皇：按区域武汉应在上海那边管辖，北京这边是越区捞好处！而且这种说法竟得到了大中国区一号人物雷伊的默认。

菜没挖到篮子里时你们妈的咋就不吭声啊？菜要到篮子时争起篮子的所属权啦，还掌握得真是时候！

没必要跑到雷伊办公室质问了，每个人的利益点都不一样，他可能有他的想法。在回身衡量时，突然发现自己成了一个成事不足败事有余的人，公司不准备让我负责这个项目了，转给了上海，我失去了这个项目的监护权（真他妈的可恨，所有该做的都做了），而只需要打两个电话就可以让好端端的进程中途夭折！

雷伊慷慨地批了咱一周的假，大冬天的去泰国或什么地方度假可真是太好了。咱选择了哪里也不去，陪王佳各个商场转了转，然后陪到她家负荆请罪。臭丫突然失踪在一个德国家庭引起了混乱：马克铁定认为遭绑架了；马克的父母认为迷路了，准儿媳不懂德文嘛，不知在哪个旮旯角晕头转向地飘着呢；其他人则怀疑可能被人灭了尸。于是警察和警犬在到处找。电话打到这个家里来，王家一片悲鸣，和天塌下来差不多。王老太太一门心思地责骂丈夫心狠把唯一的宝贝独苗赶到国外去；王老爷子则电传德国警方：巨额悬赏缉拿凶手。

201

在两边一片鸡飞狗跳中，打着饱嗝的王佳才想起来给老妈打个电话，回来一趟不容易，抽个空见见面哭一哭吧。

奉天承运，皇帝诏曰：滚回家来！

王佳臭丫知道祸闯大了，又不敢违抗老爸的命令，扭扭捏捏不敢回。于是逛够了商场，彻底放松了绷紧的神经，才故意不以为然地坐进咱的车，唱着慕尼黑黑森林小调心神不一地向娘家进发。

那天可真是一出活闹剧，和普通人家的剧本和角色大同小异。车都停在院里了，王佳赖在车上死活不出来，在里面使劲流眼泪，使劲小哭；她妈在外面一边敲着窗子一边心肝宝贝地大哭；王老爷子则趿着拖鞋拿了双筷子跑出来，高声吆喝他家丫头赶快出来受打（打人用筷子啊？一点诚意没有！不信屋里没有更长更粗的某个劳什子，连威慑作用都起不到！）。

王佳像真被打了手心似的，越发哭得激烈了，嘴巴像舌头闲不住的唐老鸭似的，从没合上过。老太太急了，也不怕扭了肥腰，转到车那边追着身材瘦削的王老爷子骂，把脾气很大的老公撺到屋子里。

恐怕要的就是这个效果吧，王佳这才受了委屈的公主似的连滚带爬地爬下车，与慈眉善目的老妈抱头痛哭。真的似的。

"佳佳，德国大老远的，野蛮又孤僻，吃不饱穿不暖的，不想去咱就不去了。"王老太太一点也不在乎冤枉了德国。

"不行啊，人家不想让老爸失望啊。再说马克也在那里，他父母对我挺好的。"

呵呵，有时风能往哪吹，老天爷都不可能猜测得出来。末了，王家三口人带了一个专业翻译亲自去了趟德国，一是解释，二是拜访亲家。据说还当面说：不好意思。

咱呢，有的是时间，在这个城市的各个角落游游荡荡，去吴家敏家里吃饭，嘲笑了那对老妇少夫的好日子越来越没了正形，不仅衬衣混穿，内裤据说也常穿错，可不是，小老公的身材在显而易见地横向发展，把身材丰腴的老婆的衬裤套上去终于不用掉下来了。

还碰到了孟辉辉小俊脸，不知山东二妞给他支了什么招，有点不屑理咱了。咱追着大声与他打个招呼：Hi！

他冷冷地用那种出落得更有明星气质的眼光看得咱发了毛，很没诚心地扔了句：有空到我家做客啊！

妈妈的，吃水忘了挖井的人，忘了谁帮你成熟的了！？真他妈小人物的自鸣得意！

陆文通是唯一没在心情不佳时向咱吹毛求疵的人，有三个晚上在他老婆的大床上巫山云雨，醉生梦死。有时性像鸦片一样，在低谷时期灌溉到丰满，高涨时恰到好处地行云流水。大脑不满足，下面满足也是一样的，炫耀能让人快乐。

但不喜欢陆，城府太深了，时常不能觉察谁是谁网中鱼的感觉。

56

有时业绩像个海市蜃楼一样，看得到，吃不着。像武汉这个项目，所建广场的坑还没挖呢，就要白纸黑字地订合同，把建设材料提前订下来，像不像打算明年做一身西服今天先把扣子买回来？万一这跨年度大坑永久性地不挖了怎么办？只是一点点象征性的预付款，像打场官司就为一元钱索赔那样的，大家就拿着一纸巨额合同丢又不能丢上报又不能报就挂在墙上做纪念？没办法，还是得争，得抢，抢过来得签。

咱也不管上海那边如何反应了，就把王老爷子催到武汉去，一定要老人家保证这份合同的签字者得有我！

感谢王老爷子长长的关系网，两趟就帮咱搞定！

上海那帮人和雷伊都挺高兴的。前一段时间在巴黎玩，喝两三百年前的葡萄酒，买礼盒，看舞娘，甚至送欧元现金和瑞士账户可都不是白付出的！（具体数字不知道）

该签合同了吧，上海的几个高管去了，谈性甚浓，但人家却没有签的意思，又不好意思催，只得悻悻而归。不签合同就没有预付款，就好比眼前的盘中肉，主人说了，那是你的午餐，但不能马上享用。这就是风险。

雷伊在北京临近长安街的宽敞办公室里走来走去。他想让中国中区的市场丰满起来，平衡嘛，却到处节外生枝。

不久，第二拨也开标了，有意思的是竟有两家选中，伊曼和日本那家。

上海那边忽然觉得自己也许只是陪衬，日方是铁定的主角，所以也没敢特别的击掌同庆。

长话短说吧，又过了几日，王佳的父亲，王老爷子又飞了趟武汉，直接后果便是甲方的总负责人把上海准备的合同拿了出来，大笔一挥，大红心萝卜一盖，这事儿就成了。

这份法国总部望眼欲穿的合同由咱本人第二天带回了北京。觉得累心，妈的，这么死命干还受气，到底为了啥？挣命，挣钱，挣资本，挣尊严，挣爽气，但什么时候能为自己干呢？

在别人等待公司奖励时，咱又在关注日本国内的动静，常去网上看形势。果然，不久，日本议员和军舰又一次上了钓鱼岛——行了，林胖子这次彻底出局了。

就像每次石子入湖所激起的反应一样，国内马上又掀起了声讨和斥责的声浪，报纸上连篇累牍地讨伐，网上更是骂声一片，连日本的祖坟都掘了。

多正当的理由啊，本来就无民族偏见的武汉在那位南京出身官僚的力排众议下，给日本公司判了个死刑。于是最后一块肥肉又落在了法国人手里。

204

这是咱所有经历的一次最有成就感的胜仗！怎一个累字了得。

晚上去"左岸风景"，不见老板娘左梅。不给开庆功酒，臭婆娘跑哪里骗帅弟弟了？

酒吧里人正陆续聚来，不到最盛时的二成。自Tonny无疾而终后，为了延续那小菜菜营造的英文演唱秀，特意又请来了一个澳洲留学生，因为其祖上据说也能追溯至苏格兰的某个小农场。他不唱披头士那种古董了，唱麦当娜小甜甜席琳·迪翁之类，像梅兰芳那样，有一种好听的花旦嗓子。但要有梅大师的一番成就，不仅要看他的实力、运气和造化，起码还得另取个女性化的名字。现在那个大岛屿上来的小青年正哗哗啦啦拨弄着吉它，等人多了再开唱。

"哎，你家老板娘在哪儿猫着呢？快拉她出来请客，也顺便把好吃的都端出来分享一下，哪能这么自私地躲在旮旯角里偷吃呢！"

"不好意思，老板娘刚去了上海还没回来呢。"

咱一下子盯住女侍应生左胸前的腊梅胸针，心突突地跳了两下，妈的，不会巧合得又该扇耳光了吧！？上次去上海时分明忘在了他的窗台上。

"这胸针哪来的？"

"好看吗？老板娘上次去上海带来的，一直放在桌子上。我看着怪好看，先戴戴臭美一下。"一个恬静的妞儿。

妈的，人心不足蛇吞象，贡献了一个英国英俊小生，还敢搞咱的原配！杀了你狗丫的！

马上给左梅打手机，问她到底在哪。关机。恨不得把手机丢在地上踩。又打给李林，通了，但没接。

继续打，打爆它！

功夫不负有心人，两格电耗下去，终于有人接了（哈，舒口气呢，差一点没疯！）。

"婊子！"

他在骂咱！厌恶透顶的语气。

"你婊子养的！"

狗日的，有错咱可以认，毫不打磕巴地说抱歉或对不起，也可以不计后果地讨好吹捧你！但要不识好歹地骂人，妈的，你再骂一句试试！！

"我是不是像块抹布一样你想甩给谁就甩给谁啊？！"

"喂喂……"咱想说你要想平衡，也可以把俺当抹布甩甩嘛！反正已铸成大错，总不能逼俺切腹自杀谢罪吧？除了这招外，动动脑筋嘛。妈的，电话给气咻咻地挂了，连扯平的机会也不给。

走在大街上的时候，忽然有一丝慌乱和不甘，一不留神怎么把新好男人李林同志给弄丢了？叹气，气愤，不平，耿耿于怀，人家甩出来的都是彻头彻尾的旧货，二手三手货色，咱拿出去的从哪里看都是刚出厂的，原装，还是给一送一，吐血！亏大发了！你们这帮吃骨头不知吐渣的女色狼！

205